U0135187

臺中學
2017
The Study of Taichung

劇場演義

演藝娛樂現代化的天外天劇場

蘇全正、郭双富 著

王志誠 主編

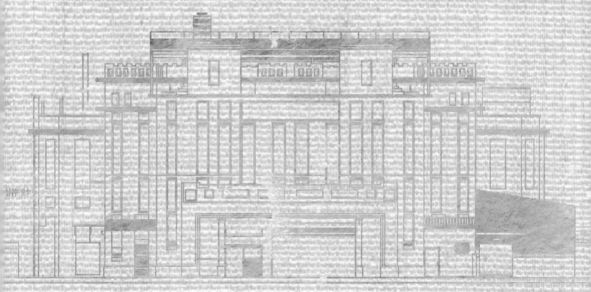

臺中市政府文化局　遠景
VISTA PUBLISHING

劇場演義

演藝娛樂現代化
的天外天劇場

Contents

Contents

行動導讀

書碼 201718

複合媒體影音書

「行動導讀」提供讀者一份新的閱讀體驗,傳統書籍也可以如此方便地做到:既有深度、兼具廣度。其特色既保持書本平面閱讀時的舒適感與質感,同步又能夠提供多面性的具象影音,使書的內容更充實、更能散播美感與價值。

行動導讀　這樣做——

1. 手機下載「行動導讀」APP(iOS、Android 適用)或瀏覽網站（http://www.dowdu.tw/）。
2. 輸入「書碼」:QR Code 或 201718。
3. 查看「易導碼」（例如「(25)」）,即可體驗閱讀中所延伸的豐富多媒體與影音內容。

市長序

儲備臺中的人文精神

林佳龍

　　近年來，做為宜居城市臺中市吸引各地的民眾陸續移入，人口大幅成長，躍居全臺第二大城，同時民眾對生活品質的訴求相對提高，人文精神也隨之抬頭。政府應如何規劃城市願景，以符合市民期待，這一步極為重要。

　　現今的臺中，能受到愈來愈多人的認同，過去打下的基礎功不可沒。許多在地的民間團體在此基礎上，活絡熱切地在臺中各地舉辦藝文活動，布置閱讀、品茗、及享用文創餐飲的舒適生活空間，或透過舉辦讀書會、講座等不同方式推展這座文化之城，使它的生活面貌、運轉軌跡可以清楚地被自身與外界所認識。而市府的文化團隊也不落於人後，以出版的力量凝聚這些人文精神，用以滿足這座對自身文化越來越有自覺的城市。

　　為了與過去眾多學術性的調查研究報告做區別，臺中市政府文化局特別策畫出「臺中學」叢書，以故事傾訴當地，以圖片還原環境，讓大眾透過這套書去發掘更多臺中的美好，進而典藏臺中的歷史、文化與生活。去年付梓的臺中學專書裡，分別暢談「臺中公園的今昔」、「領航者林獻堂」、「葫蘆墩圳

探源」、「清水人文地誌學」、「世界珍奶與臺中茶飲」等五大主題，都獲得廣泛的回響。

今年，我們聘請宋德熹與朱書漢、游博清、方秋停、郭富與蘇全正、林景淵與曾得標等專家學者，撰寫第二輯的臺中學，推出《驛動軌 ：臺中火車站的古往今來》、《市街之味：臺中第二市場的百年風味》、《書店滄桑：中央書局的興衰與風華》、《劇場演義：演藝娛樂現代化的天外天劇場》、《踢躂膠彩：臺灣膠彩畫之父林之助》，希望大家透過這五部專著看到臺中昔日的風華、現今正在進行的輪廓，與未來城市發展的藍圖，了解這塊土地的身世背景，進一步與臺中產生深厚的情感與歷史文化連結。

得以在一座人文風氣濃厚的城市中生活，無疑是幸福的。當然，臺中文化重鎮的地位之所以屹立不搖，靠的無非是一種長時間文化的累積，我們現在走的每一步路都是為將來進行儲備，所以我們也會持續出版一系列與臺中學相關的書籍，透過記錄不同階段、不同層面的人事物，增加這座城市的多元文化厚度。

局長序

「百年城」的五道歷史光芒

王志誠

　　臺灣遊客偏愛日本京都。因為，那是一座洋溢著人文、藝術、歷史等氣息的棋盤式城市。然而如今卻極少人知道，昔日的臺中市也因為曾以京都為城市規劃的藍本，而被賦予了「小京都」的美稱。我們可以想像一下百年之前的中區地貌——宏偉的臺中火車站、臺中市役所、臺中州廳；以及許多香火鼎盛的寺廟；寧靜的各類日式傳統住宅；摩登的巴洛克式洋房、現代的市場建築；以及嫵媚柔人的柳川與石橋——那份傳統與現代、繁榮與靜謐並行的優雅，也曾經在臺中如此深刻地駐足過。

　　生活在「小京都」這座風情萬種的城市，我總想，要怎麼樣讓它的優雅再現，或是更廣為年輕一輩所知；當然，臺中不只有優雅的小京都，還有更多精采繽紛的山海景致與極富臺灣味的城貌，提供了許多足以形塑臺中的關鍵字庫。這些字庫的單詞不應只是單薄的名詞，而是更能引發人們情感共鳴的聲音，於是，「臺中學」系列在 2016 年誕生了。

　　第一輯「臺中學」付梓後，不僅受到海內外矚目，也獲得國史館臺灣文獻館的出版獎勵，以及文化部中小學生優良課外讀物的推介選書。市府與文化局團隊感謝各界的肯定之餘，今年也再接再厲，繼續編纂「臺中學」第二輯，規劃「臺中火車站」、「臺中第二市場」、「中央書局」、「天外天劇場」、「臺灣膠彩之父林之助」等五大主題，重塑「小京都」的生活與人文風貌。而第二輯的籌畫與撰寫，很榮幸邀請到中興大學及臺中在地的專家學者們，以他們豐厚的史學素養及在臺中生活多年的實地經驗，為這五個臺中關鍵詞彙刻劃立體細緻的脈絡。

　　在臺中火車新站開通之際，對舊站的記憶與感情依舊鮮明地存在於每個臺中

人的心中，《驛動軌 ：臺中火車站的古往今來》便是一個精準的彙整與見證；本書由中興大學歷史系教授宋德熹、長期以「寫作中區」為筆名記錄臺中的朱書漢執筆操刀，不捨中卻又帶著期盼的心情，為這座老火車站的曾經與將來留下註腳。第二市場已是「臺中美食」的另類代名詞，而美味根植於整個場域獨特的歷史氛圍；透過《市街之味：臺中第二市場的百年風味》，擅長臺中發展史與文化交流史的游博清讓我們聽到了日語、臺語、國語交雜出的市場語言，更在古色的紅磚樓下聞到了青蔬、鮮魚的氣味，從不因百年過去而變質。

在電視、電腦等 3C 產品還未問世的年代，人們最大的娛樂便是閱讀與看電影，中央書局與天外天劇場因此與許多人的青春歲月遇見相逢。散文家方秋停不但以生動的說故事手法將中央書局在臺中建立文化碉堡的歷程娓娓道來，更訪問了諸多文化界人士，讓中央書局透過他們的記憶逐步復甦；對於即將重獲新生的中央書局而言，《書店滄桑：中央書局的興衰與風華》是一本不可或缺的指南。而天外天劇場或許是第二輯系列中最不容易詮釋的主題，但長期關注此地的蘇全正依舊透過中部首富吳鸞旂傳奇的一生，及其子吳子瑜對劇場的出資、投入，爬梳出天外天劇場的輪廓，成就了《劇場演義：演藝娛樂現代化的天外天劇場》這部作品，本書也幸得「臺中文史寶庫」郭双富的協助，收錄許多精采的圖片文獻。

如同第一輯的規劃，第二輯也選錄一位知名的臺中人物作為全輯亮點，出生在大雅、壯年乃至老年皆活躍於臺中的一代膠彩畫大師林之助便以《踢躂膠彩：臺灣膠彩畫之父林之助》一書登場。這部由林之助弟子曾得標及中興大學教授林景淵執筆的作品，除了清晰地勾勒出大師幽默迷人的風采，更重現他在動亂的大時代中，仍穩健地步向美之天地的堅定理念，是一部精采絕倫的人物觀察寫真。

巡禮了「臺中學」第二輯，我們會發現臺中何以在當年能坐擁「小京都」的封號，而這次的選題除了著重地理、歷史的主軸，也將視野延伸至庶民生活、美術藝文的層面，希望民眾不只能從文史的角度去認識臺中的曾經，更能感受與欣賞它美麗的面貌與內涵。

前　言

天外天劇場風雲再起

轟轟烈烈上演過一齣齣人生百態，昔日天外天劇場盛極一時，不僅硬體設備大開時人眼界，複合式的經營模式更是獨領風騷。較之影片戲劇播放的一則則故事，劇場幕後的精采跌宕毫不遜色，展演的是真真實實的生命起伏，那風雲曾經席捲而來，如今將要再度湧升。

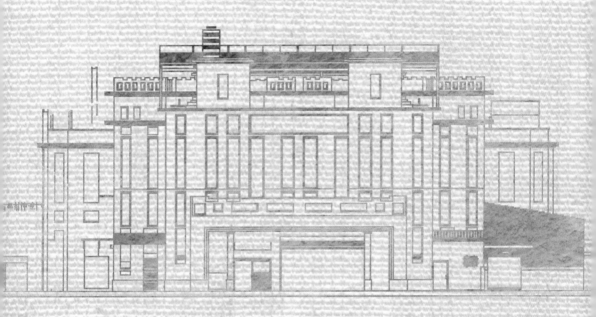

臺中市街略圖

在前清時期籌建省城的董工總理吳鸞旂，其政治影響力長達數十年，其所率領的吳家直到日治時期都仍在官方的舞臺上活躍，是官方極為重視的中部地區新社會領導階層代表者之一。天外天劇場的故事就是從政、商、文三棲的吳鸞旂展開。

中部首富吳鸞旂過世之後，吳家偌大的家業便改由長子吳子瑜掌理。吳子瑜文采豐美，倜儻不群，為人任俠講義氣，頗有革命家的氣度。吳家原本有一座私人戲院，那是吳鸞旂用來作為親友休閒娛樂的場所，在吳子瑜接掌家族事業以後，決定擴大戲院的格局，於是就這麼一手籌劃出了天外天劇場。

當時吳子瑜經常邀請櫟社及各詩社詩友到吳家怡園聯誼賦詩，豐原張麗俊首次踏入這座新建完成但尚未開放的天外天劇場時，對於用鋼筋混凝土二階式樣式建造的劇場印象十分深刻，建物予人一種堅實穩固的感受，華麗宏偉的面貌更深深震懾了詩人的心。

天外天劇場開幕的那天，邀請正在臺灣巡迴表演的上海天蟾大京班擔任開臺的演出。看著這座可以輪流演出戲劇與放映電影，並且是以傳統戲曲如歌仔戲和新劇作為主軸的天外天劇場終於正式營業，對家族事業有著凌雲壯志、亟欲一展抱負的吳子瑜煥發出志得意滿的神采。

不久後，張麗俊又受到吳子瑜的聚會邀請，因而有了登上劇場頂樓一覽勝景的機會。置身在三層樓高的頂樓，詩人一眼

望去，街巷阡陌、四方美景盡收無遺，一時竟宛如成仙的錯覺。正當詩人徜徉在如夢似幻的天地時，耳邊突然傳來了戲班演出的鑼鼓奏樂齊鳴，此時，鬧騰的聲響在耳，壯闊的世界在前，詩人與天外天劇場有了一場意境深遠的心神交流。

出自日人齋藤辰次郎的設計，天外天劇場融合了西洋與日式的建築特色，入眼所見是富麗堂皇的歐風造型與圓形穹頂，除了提供看戲的視覺娛樂，劇場內竟還有賣場以及喝茶的雅座，若說它曾經引領當代的時尚潮流一點也不為過。

霧峰林家林獻堂在繁忙公務與社會運動之餘，最喜歡的休閒之一就是看電影。有一次，結束臺中的晚宴後，他竟然又興起看劇的念頭，於是便興致勃勃地前往天外天劇場看戲，直到晚上十點多才意猶未盡地啟程回霧峰。又有一次，他和表弟吳子瑜觀賞俳優「天然美子」的精采演出，那次的美好回憶也是發生在天外天劇場的熱鬧氛圍中。日後，林獻堂、吳子瑜和櫟社詩友就在天外天劇場交織出一場場戲劇人生。

時過境遷，歲月更換了人們的面容，也帶走天外天劇場的繁華曾經。那些茶香雅談、詩詞吟詠，那些交錯上演著悲歡離合的戲文故事，縱然一時豪氣干雲、氣象萬千，喧騰的終究是歸於靜寂了。當金石絲竹再起時，我們就要跟著一起墜入過往風雲……

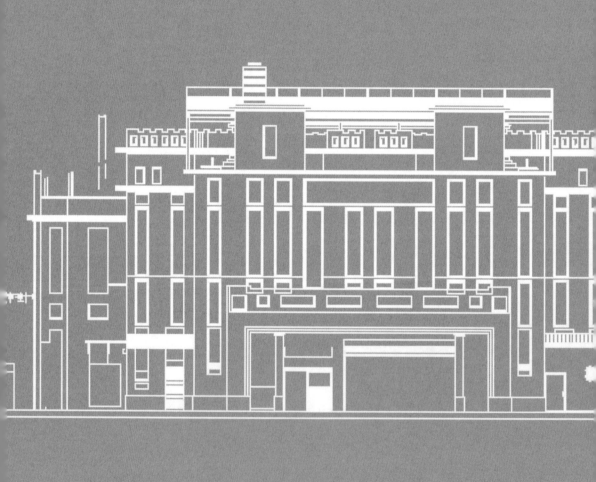

天外演義篇

直上九重天

第一章

天外天劇場的創建

日治時期的天外天劇場是一則傳奇。這座由中部首富吳鸞旂家族獨資經營的劇
場，以其華麗恢弘的歐式建築風格在眾家戲院中一枝獨秀，許多知名文人也曾在
此處留下他們風雅的足跡。天外天劇場就是由大時代底下的眾多人物串起了故事
脈絡。

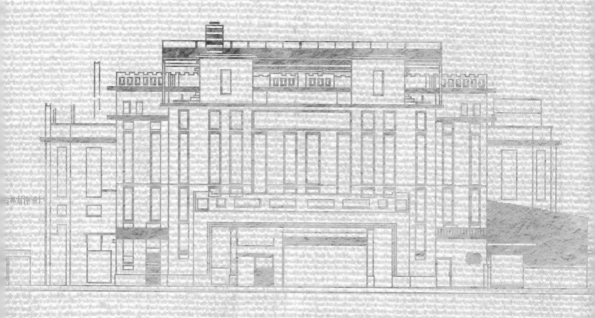

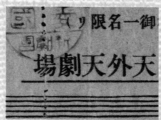

天外天劇場的風采

日治時期的臺灣文化，兼容日本傳統文化與明治維新吸收而來的西方文化內涵，呈現出各種新元素的特點。此時期的臺灣，各地都可見到富含日式風格的建築、官舍、神社、招魂碑、表忠碑、畜魂碑，政府也積極推展日本習俗、飲食、服飾、現代教育等，許多官方廳舍、銀行、學校、車站、街衢、公共空間等建物也都具有西洋的特色與風格。除了官方的推廣，民間也開始競相模仿，形成和、洋、臺風格混合的有趣現象，展現出民間建物西化的獨特風貌。

在這股風潮下的臺灣建築文化變得更為豐富多元，許多日治時期的建物也成為今日臺中市的珍貴文化資產，例如臺中火車站、臺中州廳、州立圖書館、臺中公園湖心亭、臺中放送局、臺中市役所、大屯郡役所、明治小學、第二消費市場、第四消費市場、臺中刑務所演武場、新盛橋、市警局、彰化銀行等。

此外，臺中市現代休閒娛樂事業的發展也由此開始，尤其是電影、新劇、廣播的引入更開啟了人們的眼界與城市休閒生活。臺中市娛樂事業的投資經營者除了日本人之外，也有與日方交好及具影響力的臺人參與投資，例如當時臺中市的「樂舞臺」就是由賴墩 (7) 擔任負責人，其中最具傳奇色彩和特色的，

【右頁圖】興建中的天外天劇場已略見規模。（郭双富／提供）

天外天劇場開業紀念白瓷
小杯。（郭双富／提供）

當屬吳鸞旂家族用以招待賓客的私人戲院，也就是後來的「天外天劇場」[1]。

天外天劇場誕生於昭和 8 年（1933 年），由吳鸞旂 [2] 的兒子吳子瑜 [3] 一手斥資擘劃，將原吳家私人戲院改建為三層樓的歐式高敞建築，風格為現代折衷主義。這個圓形穹頂的劇場，共有 630 個座位，劇場內還設有賣場、喝茶的雅座，可說是日治時期全臺最具特色的民營歐式建築戲院。

當時除了天外天劇場，還有成立於明治 43 年（1910 年）6 月，位於臺中市榮町的臺中劇場，其資本額為四萬日元，由日籍石川太一郎擔任負責人；以臺資於大正 9 年（1920 年）11 月成立的臺中樂舞臺公司，負責人是賴墩（1881 年～？），資本額 10 萬日元，創辦的目的是「演劇及劇場貸付」；創立於明治 44 年（1911 年）位於臺南市西門町的臺南大舞臺，洪采惠為負責人，資本額 10 萬日元；大正元年（1912 年）創立的臺灣劇場株式會社，昭和 18 年（1943 年）的負責人是船橋武雄，場址在臺北市壽町，前身為臺北市的榮座、朝日座合併而成，資本額則是 18 萬日元。相較於日治時期的其它劇場大都依靠募資成立，吳鸞旂家族獨資經營天外天劇場顯得獨樹一幟。

有關天外天劇場的名稱由來，大致上有兩種說法：一是其

劇場演義 ｜ 演藝娛樂現代化的天外天劇場

日治時代在天外天劇場露臺的
女士。（郭双富／提供）

天外天劇場的招待券。
（郭双富／提供）

建築樓高三層接近 10 公尺，矗立在臺中驛後火車站一帶特別高敞顯目，由於頂樓視野極佳，寓有更上層樓及攀登九重雲霄之意，因此取名為天外天；二是據民間耆老相傳，吳子瑜曾詢問獨生女吳燕生戲院應如何命名，吳燕生認為無人比父親吳子瑜個性更「天」（臺語，意為逍遙而不知歲月），便命名為天外天。

天外天劇場 (8) 在昭和 11 年（1936 年）開幕時，邀請正在臺灣巡迴表演的上海天蟾大京班擔任開臺演出。當時天外天劇場是一座混合型的戲院，可以輪流演出戲劇與放映電影，並以傳統戲曲如歌仔戲和新劇為主軸。然而，昭和 18 年（1943 年）太平洋戰爭爆發期間，臺灣也受戰火波及，昭和 19 年（1944

年）7月以後，盟軍飛機不時飛臨臺中進行轟炸，天外天劇場因而被迫停業。

戰爭動員期間也曾發生殖民官方勒令高層建築必須進行防空偽裝和塗裝防空色外觀，以防成為敵機攻擊的目標。有意思的是，昭和13年（1938年）2月16日的《臺灣日日新報》第7版〈臺中に赤屋根　南臺中に聳立する〉，報導吳子瑜竟叫人把天外天劇場的頂樓漆成特別顯眼的紅色，以示他的不滿和抗議。

| 天外天劇場的設計者 |

天外天劇場的設計者是齋藤辰次郎（1881年～？），日本東北的西南部地區山形縣西田川郡溫海村人，東京工業大學畢業，曾任職於文部省技手、朝鮮總督府。

齋藤辰次郎於大正5年（1916年）來臺任職，先擔任澎湖廳庶務課技手，月俸32元，大正7年（1918年）時升至35元。大正12年（1923年），齋藤辰次郎任職於臺中州能高郡役所（位於埔里街）庶務課技手，月俸1元。大正13年～14年（1924年～1925年），任職於臺中州臺中市役所庶務課六等技手兼臺中州知事官房會計課技手。

大正15年（1926年）至昭和3年（1928年），齋藤辰次郎任職於臺中州臺中市役所庶務課五等技手，昭和4年（1929年）則升任臺中市役所庶務課四等技手至昭和5年（1930年）。

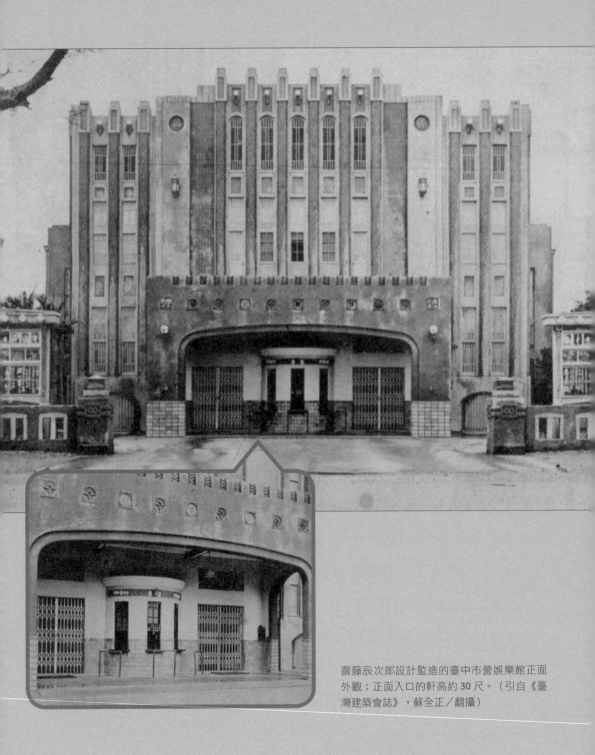

齋藤辰次郎設計監造的臺中市營娛樂館正面
外觀；正面入口的軒高約 30 尺。（引自《臺
灣建築會誌》，蘇全正／翻攝）

　　劇場演義｜演藝娛樂現代化的天外天劇場

昭和 6 年（1931 年）時，擔任臺中州臺中市役所土木課四等技手，月俸 97 元。其後，齋藤辰次郎離開任職十五年的公職，並在臺中市老松町 4 之 7 號自行開業。

其實在天外天劇場之前，臺中市已有兩座市民娛樂休閒的場所，即成立於明治 43 年（1910 年）6 月，位於榮町的臺中劇場，以及大正 9 年（1920 年）11 月成立的臺中樂舞臺公司。礙於這兩座劇場建物老舊危險，臺中市役所決定自建公營的娛樂館，並由技手齋藤辰次郎擔任設計和工程監督的任務。

根據昭和 7 年（1932 年）5 月《臺灣建築會誌》第 4 輯第 3 號〈臺中市營娛樂館新築工事概要〉所載，臺中市營娛樂館由任職於臺中市土木課技手齋藤辰次郎擔任設計監督直營主任和負責監造，總工程費達 57,561.29 元，雇用職工及勞動力前後達 8,300 人，建築工程於昭和 6 年（1931 年）6 月 6 日舉行「地鎮祭」（即動土典禮），同年 11 月 6 日舉行上梁儀式，當年 12 月 28 日竣工落成，總工期為 202 天（6 個月 22 天）。

臺中市營娛樂館的建築位置於臺中市大正町 4 丁目 4 番地之 3（今臺中市中區自由路上），基地面積有 307 餘坪，建坪數為 195 坪，總坪數計 328 坪。其樓高共二層，主體建築最高 42 尺，入口軒高 30 尺，同時設有地下室，而近代式的建築樣式採鐵筋混凝土構工建造，空間規劃有接待室、放映室、休息室、電話室、車寄（即儲藏室）、事務室、辯士（即劇情旁白

《臺灣建築會誌》刊載的齋藤辰次郎名片，上面載有臺中市老松町 4 之 7 號自行開業的文字。（引自《臺灣建築會誌》，蘇全正／翻攝）

臺中市營娛樂館一樓及二樓內部，不僅可容納多人，亦十分重視通風、防災和照明。（引自《臺灣建築會誌》，蘇全正／翻攝）

解說員）準備室、浴室、熱水間、賣店、男女化妝室、吸菸室等。

另外，臺中市營娛樂館的觀眾座席又分成三等：一等席有120 個座位，二等席有 248 個座位，三等席有 256 個座位，共可容納 624 人。二、三等觀覽席設於一樓，二樓則為一等觀覽席及部分二等觀覽席。在設備上，放映機有 2 部，並備有 7.5 馬力的發電機 5 部，用以因應緊急電源需求，而從裝設電風扇、排風機以及消防設施來看，我們大致得知當時對內部的通風和防災、照明的重視。至於廣場前的大型布告欄，則可供張貼電

影宣傳海報及電影本事，票價上又分為樓上 7 錢、樓下 1 元兩
種價格。

　　臺中市營娛樂館在昭和 10 年（1935 年）進行內部改裝，
改裝後的觀眾座位可容納近千人，翌年又加裝空調抽風設備。
到了戰後，臺中市營娛樂館改稱為成功戲院，後來拆除改建為
遠東百貨公司，在多次火災後停業，近年將進行拆除重建。

　　根據《臺灣建築會誌》刊載的名片，我們推斷齋藤辰次郎
至遲在昭和 10 年（1935 年）7 月前就離開了公職，並在臺中

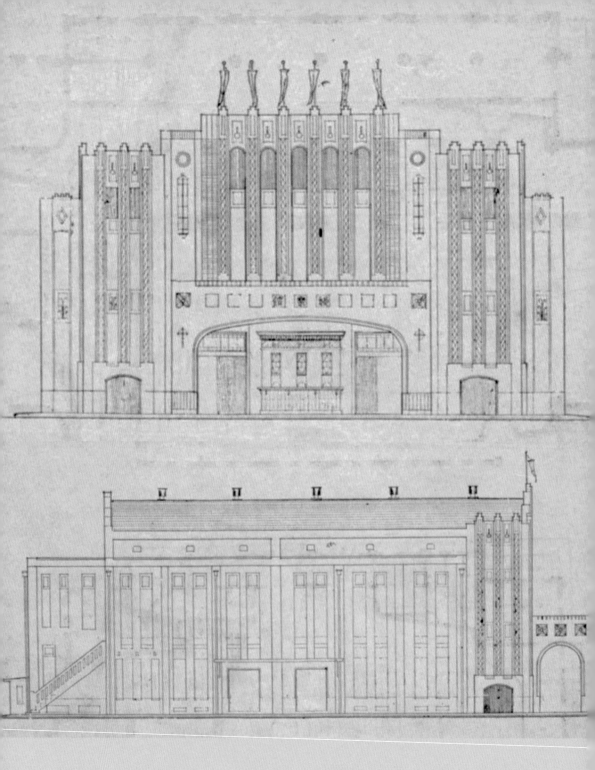

劇場演義 ｜ 演藝娛樂現代化的天外天劇場

市老松町 4 之 7 號自行開業。

正由於臺中市營娛樂館的建案設計成功，兼具現代造型、藝術性及綜合功能，獲得吳子瑜的欣賞，因而進一步委請齋藤辰次郎擔任天外天劇場的設計者，這也就是天外天劇場的現代造型和功能設計與臺中市營娛樂館有幾分神似的原因，因此藉由臺中市營娛樂館的設計圖說也有助於我們對天外天劇場的進一步認識。

| 文人雅士的後花園與映畫新娛樂 |

天外天劇場在當時文人雅士的風雅生活中亦占有一席之地。豐原張麗俊 (5) 在《水竹居主人日記》中便提及昭和 10 年（1935 年）12 月 3 日到吳子瑜家坐談，在進入怡園遊玩山水花木後，又踏入吳子瑜新建但尚未開放的天外天劇場，他的描述是：「其肇基之鞏固，洵用鐵根以英灰凝就，其規模之宏壯華麗，與東京寶塚無二。」稱讚天外天劇場的建築華麗恢弘，與日本東京知名的寶塚劇場幾無差別。

昭和 11 年（1936 年）10 月 23 日，張麗俊又說：

到怡園，入櫟社友吳子瑜家，櫟社友先後而來者傅錫祺、張玉書、張棟梁、林仲衡、王箴盤、呂蘊白合我與主人共是九人，並邀東墩吟社、怡社、大冶吟社三社之詩人十五人，四社

【左頁圖】臺中市營娛樂館正面（上圖）及側面（下圖）之平面圖。（引自《臺灣建築會誌》，蘇全正／翻攝）

合二十四人開會，擬定七律，「天外天上作九日」天外天是主人之劇場名也，作九日即取今日登高之義也。左右詞宗傅錫祺、許逸漁，次唱七絕。閉會，各登天外天三層樓上一望，下樓並入觀閩班舊賽樂開演。

七律　天外天上作九日

昂頭回顧樂無邊，市井分明在眼前，

東望金山高萬疊，西瞻玉海湧千年。

當時建築雄全島，此日登臨似半仙，

漫詡參軍傳落帽，還聞廣樂奏鈞天。

「作九日」即民俗重九登高之意。從日記中我們看到吳子瑜大器地邀約各詩社詩友到怡園聯誼賦詩，並參觀天外天劇場及登上頂樓飽覽風光，此時一樓劇場正由福建戲班公演，詩中亦呈現出天外天劇場樓高三層，登高遠眺極目四望，有如半仙般的玉樹臨風之感。

此外，林獻堂的《灌園先生日記》也有昭和

日治時代臺灣銀華新劇團在天外天劇場公演前的合影。（郭双富／提供）

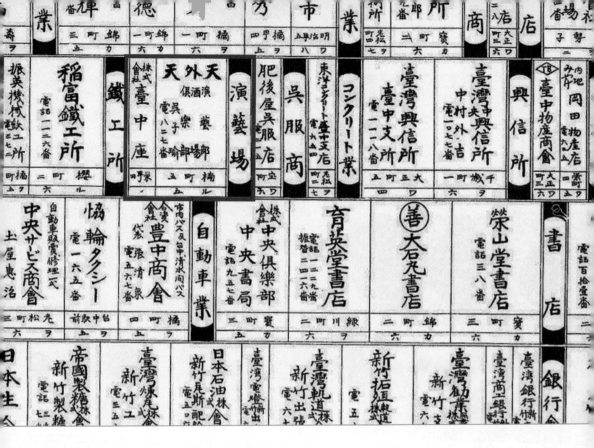

【右頁圖】《昭和13年版臺灣鐵道旅行案內》收錄的臺中市地圖已註明天外天劇場位置。（郭双富／提供）

日治時代天外天劇場與臺中座的分類廣告，除了歸類為演藝場外，也載有天外天劇場的營業項目、負責人和電話。（郭双富／提供）

17年（1942年）11月15日結束臺中的晚宴後，前往天外天劇場觀看演劇到晚上十點多才返回霧峰的記載。昭和19年（1944年）1月5日時，林獻堂又和吳子瑜一起到天外天劇場觀賞俳優「天然美子」，結束後搭傍晚六點十分的汽車回到霧峰；2月27日，林獻堂則和傅錫祺、吳子瑜、吳燕生、林培英、吳松柏一起前往天外天劇場觀看演劇。日記中也記有是年6月21日吳子瑜欲在醉月樓招待傅錫祺、林獻堂等人用餐，當林獻堂搭車到天外天劇場時，卻只見其侄子吳松柏在場，不久，吳子瑜、吳燕生、林培英、傅錫祺陸續抵達，眾人才一起前往醉月樓。

劇場演義 ｜ 演藝娛樂現代化的天外天劇場

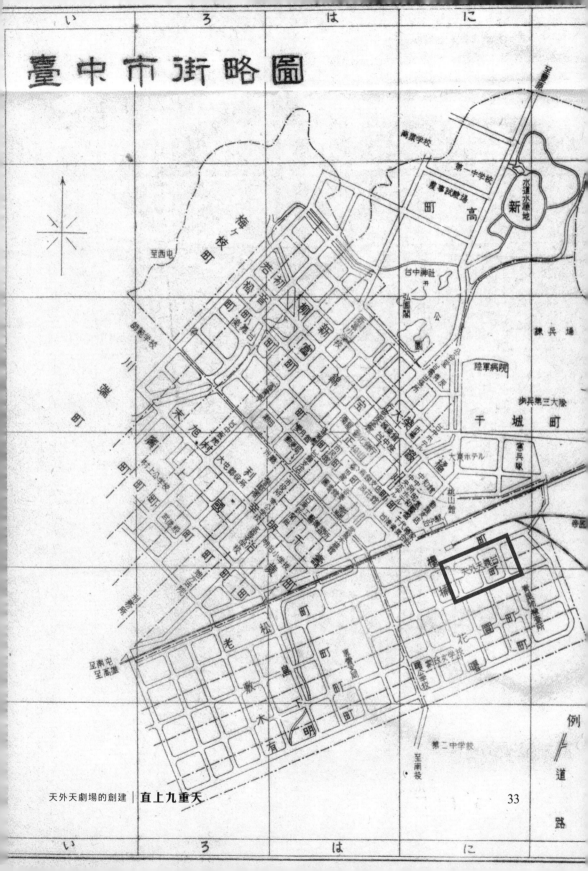

臺中市街略圖

曾任職吳鸞旂拓殖株式會社書記的吳維岳（1892 年～1967 年）曾有詩〈天外天觀劇〉：「傀儡衣冠各擅長，陸離光怪總堪傷；眼看世態真還假，影射人情顯又藏。天外有天原不錯，戲中是戲卻何妨；可憐燈炧三更後，枉使繁華夢一場。」描述至天外天劇場觀看布袋戲後的心得，體悟人世如同戲夢人生，似真還假。

　　經由當時的廣告分類，我們也能得知天外天劇場與臺中座被歸類在演藝場，天外天劇場的營業項目包括演藝部、俱樂部、酒場，負責人是吳子瑜，電話是 827 番。而昭和 13 年（1938 年）的《臺灣鐵道旅行案內》已有臺中市地圖並標記天外天劇場的位置，也收錄天外天劇場、臺中座、娛樂館、樂舞臺的劇場資訊。

　　其它劇場方面，臺中劇場株式會社改組後於明治 41 年（1908 年）擴建規模，翌年又收購一旁可容納 1,500 名觀眾的元寶座經營權，改名為大正館。大正 10 年（1921 年），大正館易名為電影俱樂部，並與日本的國活映畫社簽約合作，在臺中市進行常態性的電影放映，成為臺中地區第一家電影放映館，後來又改回原來的大正館名稱。凡是日本的歌舞伎、魔術表演到臺中演出，或是大型的集會，都會以此為據點；昭和 8 年（1933 年）時曾失火焚毀，至昭和 11 年（1936 年）重修後開幕。

　　而大正 9 年（1920 年）11 月成立的臺中樂舞臺公司，建

87

《昭和 13 年版臺灣鐵道旅行案內》收錄的臺中市劇場資訊。（郭双富／提供）

築用地約 776 餘坪，建築物地坪有 335 坪，兩層樓的西式紅磚建築足以容納 1,500 人，一樓的一等席有 500 個座位、二等席有 140 個座位、三等席有 360 個座位，二樓的二等席有 330 個座位、三等席有 170 個座位。樂舞臺的經營是以傳統戲曲如臺灣戲、中國戲的演出為主，但日夜的戲碼不同，例如黃旺成的日記曾記載大正 11 年（1922 年）4 月 17 日至「樂舞臺觀劇兩節『報恩寺』及『空城計』、『連斬馬謖』也。……夜觀《長生殿傳奇》至貴妃屍解。」另外，由於樂舞臺的場地較大，有時也租借為集會或興辦社會事業的聚會之用。

劇場　臺中座（大正）娛樂館（大正）天外天舞臺（櫻）樂舞臺（初音）

土產品店　物產陳列所（大正）樋口（大正）山崎屋（榮）臺中工藝品製作所（寶）

旅館　內地式、千代の家（橘）3--7 圓。春田館（大正）3—6 圓。（以上ツーリスト・ビューロー・クーボン取扱5圓）靑辰（大正）3.5—5 圓。菊屋（寶）2—5 圓。常盤木（壽）2.5—7 圓。蓬萊（寶）2.5—4 圓。松山（榮）2.5—3.5 圓。潮田（錦）2—4 圓。吾妻（榮）。愛月（寶）以上 2—3 圓。つた屋（榮）2—2.5 圓。春日館（橘）1.5—2 圓。臺灣式、中央ホテル 2.5—5 圓。（橘）中和館（橘）臺中ホテル（綠川）中州ホテル（橘）集賢館（橘）以上2圓。昭和館（橘）大東ホテル（橘）以上1.7 圓。桃山館（橘）1.5 圓。

鐵道部發行《臺中及其附近簡介》收錄臺中市劇場的相關資訊。（郭双富／提供）

台中とその附近

鐵道部

義行留芳

第二章

戰後從天外天戲院到國際戲院

政權的轉移，改變的不只是人民的生活方式，就連劇場的經營模式也大受影響。戰後國際局勢的錯綜複雜牽動著劇場播放的影片來源與內容，不只如此，日漸競爭的商業社會也迫使戲院採取全新的促銷手法，只可惜戲院仍敵不過已然變遷的環境終告凋零。

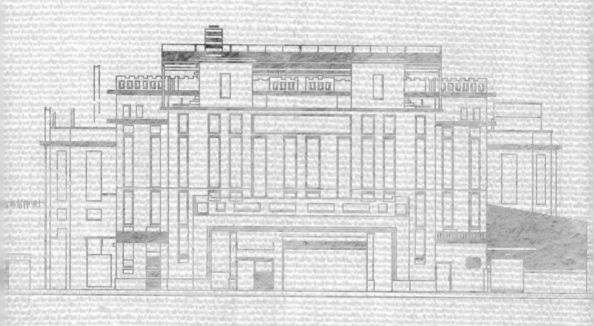

戰後初期，位於今臺中市東區復興路四段 138 巷的天外天劇場仍持續營運，前期改稱為天外天戲院。天外天戲院大約在 1948 年 2 月以後恢復營業，2 月 6 日上海製作的《萬世師表》就在天外天戲院上映播放。

彼時擔任彰化銀行董事長的霧峰林家林獻堂 (6)，因辦公常住臺中市的彰化銀行總行宿舍，這段期間的日記中也有許多到天外天劇場觀劇的紀錄，例如 1948 年 3 月 29 日「夜清金招余到天外天看『天方夜譚』電影。」《天方夜譚》的劇情改編自阿拉伯民間傳說故事《一千零一夜》，又名《新天方夜譚》，或稱為《阿里巴巴與四十大盜》，係由美國環球電影公司發行，1948 年在臺灣上映。該片已由黑白片率先進入彩色影片時代，帶來全新的視覺饗宴，頗受觀眾喜愛，並成為嶄新的視聽流行娛樂。

林獻堂在 1948 年 4 月 13 日也記載著：

中央書局落成，董事長（張煥珪）招待余及金海、猶龍、繼成、泗水、阿鳳、劉喜揚、土地銀行周等，在新落成之店中。宴畢，喜揚、炳燦同余到天外天，看蘇聯運動會之電影。

根據葉龍彥教授的研究，戰後初期的臺灣電影市場，除了日片被禁演之外，舉凡美、英、蘇、法、德、義等國影片皆有進口，其中又以美國電影為最大宗，蘇聯則因與中華民國簽

訂《中蘇友好同盟條約》，每年大約進口一、二十部蘇聯製電影，直到 1949 年年底中華民國與蘇聯斷交後才停止。

雖然蘇聯製拍的電影大都在歌頌社會主義、強調階級意識與集體觀念，且劇情較為嚴肅，拍攝技術也不如歐、美國家細膩活潑，但其特色就在於不以商業利益為考量，尤其重視教育，也無情色畫面，相對較符合當時的社會需求。1948 年臺灣省行政長官公署核准進口後，與運動會相關的蘇聯電影就有《挪威運動大會》和《體育之光》兩部紀錄片，影片內容強調運動員必須團結服從，發揚運動精神，為國爭光。因此，林獻堂在天外天戲院所觀看的蘇聯運動會電影可能就是其中之一。

儘管天外天戲院在 1948 年 6 月 27 日上映《泰山凱旋》，8 月 6 日上映《天堂春夢》，不過票房並不理想，每部片都虧損達舊臺幣一百餘萬元，因而不得不於同年 10 月 1 日公告暫

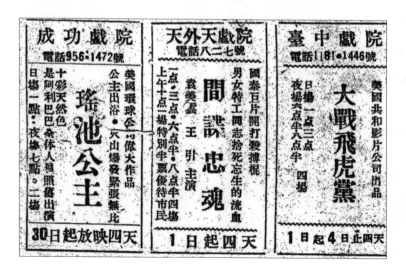

戰後初期天外天戲院、成功戲院、臺中戲院的電影廣告。（郭双富／提供）

停營業。其後吳子瑜又過勞病倒，遂出售天外天戲院，並將所得用於修繕日治時期孫中山曾住過的臺北市梅屋敷 (9) 旅館，同時無償捐出以紀念和孫中山的相遇之交。

天外天戲院後來又進一步改名為國際戲院。1950 年 4 月 24 日，國際戲院與樂舞臺採取聯合上映以及「一張戲票，雙料娛樂」的促銷方式，即影片女主角隨片登臺且不加票價的新作風與優待模式，顯見戲院的經營日趨競爭。此外，國際戲院也曾邀請戴綺霞 (10) 京劇團登臺公演，《狄青招親》、《關公走麥城》皆是當時熱門的戲齣。

然而隨著臺中市人口與產業結構的變動，以及同業的競爭之下，高峰時期的臺中市竟同時有 11 家電影院、多家電影製

2017 年天外天劇場入口及門廊側面照。（蘇全正／攝）

劇場演義 | 演藝娛樂現代化的天外天劇場

片公司並存，臺中火車站前站快速的商貿發展也加速了後火車站的沒落，導致國際戲院的經營轉趨困難，終於不敵大環境的考驗，在 1963 年撤銷營業登記，翌年全面結束營業，至此正式走入歷史。

國際戲院不僅後續的產權問題複雜，建物空間先後出租作為冷凍空調製冰廠、釣蝦場、電玩店、養鴿舍、汽機車收費停車場等，更因為周遭為老舊社區，街道狹窄，甚至紅燈戶的設置緊鄰戲院，容積有限而發展不易，因此隨著吳鸞旂公館的空地在 1998 年後興建為百貨公司，昔日吳家的光輝歲月和天外天劇場一度引領時尚休閒娛樂流行風潮的記憶，如今僅留存於當地老者的口耳傳述中，令人遺憾。

2017 年天外天劇場南側面照。（蘇全正／攝）

（朱書漢／攝）

吳氏傳奇篇

天外天劇場的主人家

第三章

中部首富吳鸞旂家族

天外天劇場的前身為吳鸞旂興建的私人戲院，這個政商關係良好的「吳部爺」，
就是在歷史發展的契機下成為籌建省城的董工總理。吳鸞旂的政治影響力一直延
續到日治時期，是官方極為重視的中部地區新社會領導階層代表者之一。天外天
劇場的故事就是從政、商、文三樓的吳鸞旂開始。

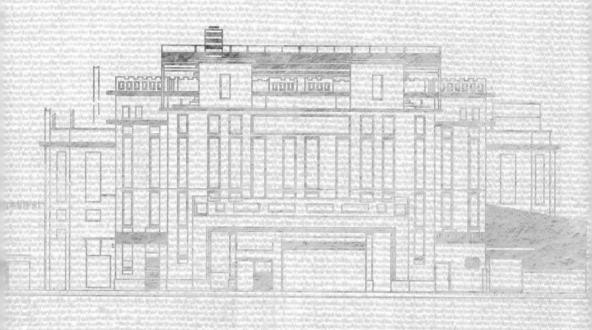

| 吳鸞旂的傳奇故事 |

吳鸞旂（1862 年～ 1922 年），字泮水，號魯齋，官章為鴻藻，光緒年間監生（一說是 1889 年捐納為貢生）。父親吳景春（1827 年～ 1864 年），字懋建，吳氏第十五世，吳郡山家族第七代，娶霧峰林家林甲寅之女林純仁或說是林奠國之妹為妻，是霧峰林家下厝林文察（1828 年～ 1864 年）麾下的十八大老之一，與霧峰林家頂厝林獻堂之父林文欽（1854 年～ 1899 年）有表兄弟之誼，曾隨林文察渡海出征平定太平天國戰役，同治 3 年（1864 年）病死於平定漳州匪亂中，遺骸失落無著。

吳鸞旂有兄吳葆旂過繼給無嗣的第十五世懋烈公。而吳鸞旂的妻室共有五個，嫡配許爾昭，繼室林德林，副妣有三人，分別是何助德、董金書、黃巽姻。吳鸞旂的子女則包括長女吳映雪（1884 年～？霧峰林家頂厝林澄堂妻），長子吳東碧（子瑜）、次子東珠、三子東漢、四子東海。

吳鸞旂的先世吳錫泰（1635 年～ 1688 年）為吳氏第九世，吳郡山家族第一代，原籍福建省漳州府龍溪縣廿九都蔡墩社，永曆 16 年（1662 年）跟隨鄭成功部隊渡臺，卜居於臺南赤崁街（清代竹仔街），直到在臺第三代吳文海於雍正年間入墾彰化平原。

吳文海之弟吳文清（1721 年～ 1792 年），字郡山，太學生，乾隆 17 年（1752 年）入墾今彰化縣永靖鄉、埔心鄉一帶 158 甲土地，與兄分別建立吳郡林館與吳郡山館的租館收租。乾隆 40 年（1775 年），吳文清向開墾臺中的六館業戶之一秦廷鑑買下原屬巴宰族阿里史社的租業，正式入墾臺中盆地，土地分布在今臺中市北屯區二分埔、東勢一帶。

咸豐年間，吳鸞旂之父吳懋建（景春）遷居臺中東勢庄後，吳鸞旂家族正式於臺中發展，同時隨著與霧峰林家聯姻、投身林文察陣營的征戰軍旅累積軍功和財力。其後吳懋建病死漳州，家計重擔落在吳鸞旂母子身上，至清末和日治初期，前述租業業主名稱為「業戶吳樂園」，管理人正是吳鸞旂。

光緒年間的吳鸞旂是中式府城儒學生員，曾協助臺灣首任巡撫劉銘傳在中部進行清賦，也跟隨林朝棟平定因清賦不公引發的彰化施九緞事件，並以軍功獲得刑部主事歸部補用頭銜，加賞戴花翎的殊榮而嶄露頭角。及至日治初期，吳鸞旂已經擁有土地 800 甲，折合時價為 48 萬元。

至於吳鸞旂被稱為「吳部爺」的由來，起因為清廷在臺灣設置行省後，首任巡撫劉銘傳 (12) 擇定中部橋孜圖（今臺中市南區下橋子頭）為省會之基，因當時臺灣財政困難，便委請有中部首富之譽的吳鸞旂出任築城董工總理。而清末臺中籌建省城 (11) 也彰顯出了大臺中地區的地位和重要性。

吳鸞旂。（郭双富／提供）

| 清末臺灣建省籌建省城的董工總理 |

吳鸞旂之所以能出任中部省城築城董工總理，除了財力雄厚，也與當時的政治環境有關。我們就從歷史背景說起。

滿清末年國事紛雜、內外交迫，這股困境不僅波及海外一隅的臺灣，也促使清末在臺灣建省，其實這和同治 6 年（1867年）日本實施明治維新後，企圖與清廷建立新的外交、貿易關係正常化相關。

同治 10 年（1871 年）日本政府派遣代表與清國協商修約換文事宜時，探查到同年 11 月發生的琉球（今日本沖繩縣）船隻因遭遇暴風漂落至臺灣東海岸八瑤灣海域，船上 66 名乘客登岸後因誤入牡丹社的傳統領域導致 54 人遭到殺害，倖存的 12 人因獲得鄰近漢人的保護輾轉於隔年返回琉球一事，因而打算利用清廷的處理過程作為日後南進行動與染指琉球宗主權的準備。

日本在同治 11 年（1872 年）4 月和清廷代表李鴻章的談判過程中便擬定了處理琉球方案的策略，其中包括任命琉球王、將琉球外交權移歸日本、派兵進駐琉球以及出兵征臺等，而日本外務省的外籍顧問李仙得（Le Gendre）也以涉臺經驗建議「清政府政教不及『番地』，可採外交為主，軍事為輔，攻占臺灣南部番地，實地武裝殖民等」。

隔年（1873 年）3 月，日本明治政府趁著組團將修好條約與清朝換文之際，藉故替琉球漁民爭討公道，興師問罪。清廷總理各國事務衙門的官員因昧於國際現勢、不了解臺灣的吏治情形，更因對原住民文化的陌生，竟以「生番」是化外之地政教不及為由，造成日軍交涉無門以及興師問罪的合法性，加上當時又發生了日本國民的船隻漂流到臺灣東海岸馬武窟遭當地原住民掠奪的情事，在與總理各國事務衙門交涉無效後，日方決定逕行出兵臺灣，同時也事先派員混入臺灣從事相關的偵察工作。

　　同治 13 年（1874 年）5 月，日本攻臺遠征軍陸續在瑯𤩝登陸，先是引發石門戰役，繼而圍攻擊敗瑯𤩝十八社中最強悍的牡丹社，此即牡丹社事件 (13)。事後日軍單方面與臺灣原住民簽署訂約時，又採取以戰逼和的強硬外交迫使清廷接受先談判再撤兵的策略，清廷這才警覺事態的嚴重性，因而就近由福建省派遣沈葆楨 (14) 以船政大臣的身分赴臺交涉及善後。

　　等沈葆楨來臺考察之後，發現「臺地延袤千有餘里，官吏所治祇濱海平原三分之一，餘皆番社耳」，於是提出聯外交、儲利器、儲人材、通消息的四項治臺策略，清廷至此方驚覺臺灣後山治理和全臺防務對清朝海疆的重要性。另外，沈葆楨在行政改革方面則建議福建巡撫於冬、春駐臺半年，增設縣治、修築炮臺、開闢通往後山的道路，以便於交通聯繫和加強山地

資源開發、原住民統治，呼籲清廷正視在臺官員長年因循消極治臺及開港通商後日益增多的商貿糾紛，尤其是臺灣後山花東原住民的治理問題。不過此時若要在臺灣建省其實也存在著許多問題，除了閩臺在米餉財政上的彼此相依性外，臺灣建省所需的器局也仍明顯不足。

因此，是年 10 月 31 日，清、日雙方在歷經七次談判後，終於簽訂《北京專約》，內容除了承認日本此次出兵乃是保民義舉，給予遇害難民撫卹外，日本所修道路設施也由清國留用並籌補日方銀兩，同時撤回註銷所有此事來往的公文，另外還必須約束「生番」保護航客不再受到凶害。最後清廷共支付 50 萬兩銀結案，日軍完全撤離臺灣。其後雖然實施福建巡撫輪流駐臺的政策，但仍礙於諸多不便或是具體治績有限，因而到了光緒 2 年（1876 年）時，刑部侍郎袁保恆便奏議請設臺灣巡撫，成為臺灣建省的具體建議之始。

時間來到光緒 7 年（1881 年），福建巡撫岑毓英駐臺加強臺灣防務時，以中路防衛不足為由計畫增設一城加以控制，於是派遣了臺灣道劉璈勘察彰化縣附近，最終擇定以橋孜圖（今臺中市南區下橋子頭）作為省會預定地。另一個建省的推力則是光緒 10 年（1884 年）法國侵臺封鎖臺灣海域年餘，清廷調派劉銘傳來臺督辦軍務，因受外患逼壓決定提升臺灣的行政層級。在這段期間，劉銘傳也因為在臺灣停留較長時日而推

動了若干「自強新政」。

　　那麼吳鸞旂究竟為何能出任中部省城築城董工總理？背後重要的助力正是在清法戰役中效力於劉銘傳的霧峰林家下厝林朝棟（1851 年～ 1904 年）。

　　林朝棟的父親林文察原本受左宗棠一手提拔，然而林文察在征討太平天國的萬松關一役卻陷入孤立無援的絕境，終至戰死；其叔父副將林奠國也繫獄於福州省城大牢至死。而以在籍副將身分留居阿罩霧（今霧峰區）的林文明（1833 年～ 1870 年）也不幸步入清廷中央默許的死亡陷阱，藉扣押彰化城南門外媽祖（即南瑤宮媽祖）阻撓前往笨港進香為由計謀其到案說明，造成林文明被仇家暗伏在彰化縣堂的公堂上當場加以擊殺的「壽至公堂」事件，再以莫須有的謀反之罪將林文明的首級懸掛於城門上示眾和戒嚴，試圖以此引發霧峰林家起而抗爭，坐實謀反的指控以進一步裁抑霧峰林家的滅族之厄。

　　所幸在有識之士的力勸下，霧峰林家隱忍屈辱，改由林母戴夫人赴北京城控訴，甚至刊印訴說林文明被冤殺的《臺灣冤錄》一書以求平反。不過，在歷時十年（1871 年～ 1880 年）的四次「京控案」中舉債數十萬兩，最終清廷諭令禁止再度上訴，並授意不追究林文明案相關人員責任，同時保證恢復林家頂、下厝的產業完整和人身安全，並追贈林文察為太子少保，謚號剛愍，也在漳州、臺中分別建立專祠祭祀，從優撫卹其後

代與襲爵騎都尉等榮譽，全案就在下厝族長林朝棟被迫承認地方官民對林家的種種指控、撤回京控、放棄申訴及簽下切結之後不了了之。

歷經林家幾乎慘遭滅族之禍和地方官員不斷乘勢威欺之辱後的林朝棟亟思東山再起，恢復林家往日地位，在政治路線上更深切記取父叔輩投靠左宗棠派反被犧牲的教訓。另一方面，頂厝林文欽於光緒 10 年（1884 年）中式生員（秀才）成為左宗棠派系主考官臺灣兵備道兼領學政劉璈的門生，在同年法軍犯臺時，林文欽自募義勇衛戍臺南，後來調駐北路的苗栗通霄並捐鉅款助軍，事平後獲得拔擢任用為「兵部武庫司正郎」一職，負責軍事物資的後勤管理與補給事宜。

此時，奉派來臺籌防清法越南軍事衝突而遭受法軍試圖封鎖登陸北臺灣的李鴻章淮軍系統劉銘傳，因與臺灣兵備道劉璈雙方不協調導致坐困愁城，林朝棟為了避免重蹈覆轍，決意改採支持劉銘傳的策略，率領林家武力趕赴基隆馳援，並在獅球嶺戰役 (15) 中成功抵禦法軍，建立軍功，因而受到劉銘傳的賞識和提拔，成為臺勇棟字營的地方武力，林家也獲賞賜中部山區的樟腦開採特權，使霧峰林家 (16) 的家勢再度崛起。

其後，劉銘傳上奏彈劾劉璈稱兵不發貽誤軍機，造成劉璈被發配黑龍江邊區流放並殃及林文欽連坐，林朝棟因分散政治風險的策略，使其得以及時向劉銘傳說項求情而免除了林家頂

厝災禍，這也證實林朝棟當初決定的正確性。日後，林文欽致力於科舉考試，終於在光緒19年（1893年）中式癸巳恩科舉人第79名，自此奠定霧峰林家頂、下厝文武分途的不同發展途徑，而頂厝走向文教發展路線對其後人林獻堂領導日治時期的臺灣議會設置請願運動，以及臺灣文化協會以文化覺醒方式抗日皆具極大的啟發和影響。

因此當光緒13年（1887年）劉銘傳正式籌備建省和省會之事時，思考如何擺脫臺灣南、北二大府城都是左宗棠系的政治勢力時，最後便擇定以中部作為省會的預定地。

在建省工作上，最大的財務困難是一方面必須協調福建省財政上的持續支援，這種情形一直要到光緒14年（1888年）3月3日閩臺財政正式劃分自籌才解決；另一方面又因興建省城刻不容緩，因此財務上的缺口和各項備急等事務皆為重要考量，其中築城所需的龐大人力乃是由中路棟字營的兵力支援，而興工備料與購材的經費開銷可能就是在林朝棟的建議之下才找上饒富財貨的吳鸞旂出任建城董工總理。這當中除了林朝棟與吳鸞旂雙方有姻親關係，且父執輩本為長官部屬的舊識，配合度和默契較佳之外，也不免存有兩人父親皆為國捐軀的遺憾與相互奧援的情誼，吳鸞旂也以此更加奠定在民間的聲名，亦獲得了「吳部爺」的尊稱。

此外，由於建省工作百廢待舉，尤其以財政狀況最為困

窘，而新政的推動與實踐又必須依靠財政的支持，因此開闢臺省新財源，增加稅收才是長久之計。針對這點，劉銘傳也開始思索改革臺灣隱田特多、稅賦不公的現象，進行清丈田畝，重訂稅則；另外也將一田多主的田賦制度改採大租「減四留六法」，確定以小租戶為業主，要求繳納正供，意即大租分為十，大租戶（業主）包括原住民的番業主仍得其六，四分則交小租戶完納正供，而小租戶可向佃農收大、小租額，丈單、錢糧皆由小租戶經手。

　　雖然清丈過程曾因丈量不公引發彰化縣施九緞抗爭事件[17]，造成後期未能落實，但清賦之後入冊的田畝實際上增加了四百多萬畝，田賦徵收達 97 萬兩，比原先多出 57 萬兩，可見地主隱田情形相當嚴重，也證實清賦對晚清臺灣的財政改善極為重要。至於吳鸞旂曾協助劉銘傳在中部進行清賦工作，亦為彼此關係匪淺的明證。

┃ 臺中與曇花一現的清末臺灣省城 ┃

　　光緒 11 年（1885 年）9 月時，慈禧太后詔改福建巡撫為臺灣巡撫，至光緒 13 年（1887 年）首任臺灣巡撫劉銘傳履新後，臺灣與福建省終於在光緒 14 年（1888 年）3 月 3 日正式分治，臺灣省下設臺北、臺灣、臺南三府。

　　最初道臺劉璈受命於福建巡撫岑毓英指示，在清代彰化

藍興堡下橋仔頭庄林清溪的大厝邸宅（林崧生宅第），劉銘傳到臺中視察時曾暫居，1993 年拆除。（林紹甲／提供，蘇全正／翻攝）

縣勘定大甲溪和大肚間的貓霧捒、上橋頭、下橋頭、烏日莊等四處，認為其「平疇沃壤，山環水繞，最為富庶」、「尤為鐘靈開陽之所……，實可大作都會」，後來彰化縣知縣朱廷幹認為下橋仔頭為最適合之地，並經劉璈和岑毓英贊同與認可。等劉銘傳親自勘察下橋仔頭後，確認「大墩地方，襟山帶海，控制南北，實天造省會之基」，而上呈給清廷的奏摺中也提到「該處地勢平衍，氣局開展，襟山帶海，控制全臺，實堪建立省城」。

　　據聞劉銘傳來臺中時，在省垣官舍未濟之前，曾幾度下榻

於藍興堡下橋仔頭庄林清溪的大厝邸宅（即林崧生宅第，臺中市下橋仔頭 37 番地，位於今臺中市南區信義國小與美村路二段旁，1993 年已拆除）。

　　林清溪與霧峰林家林朝棟為漳州籍平和縣的同鄉，彼此相識且往來密切，林清溪家族在光緒 17 年（1891 年）分家產時的公親族長代表之一就是林朝棟。林崧生（1873 年～ 1953 年）是林清溪之子，號崑旺，曾任日治臺中區街長、臺中廳保正、臺中公學校學務委員、土地整理委員等職，及臺中一中創建捐助委員之一，明治 38 年（1905 年）獲臺灣總督府頒授紳章。因此，在新庄仔聚落和吳鸞旂公館生活機能尚未完備或興建前，劉銘傳來臺中視察才會暫居下橋仔頭庄林家園邸。

　　光緒 15 年（1889 年）8 月，劉銘傳命臺灣縣知縣黃承乙負責省城工事監造、中路統領林朝棟率棟字軍參與築城工事，並委任殷商吳鸞旂為董工總理，積極營建省城。初期工程大致上完成了省垣八門四樓和城牆的規劃和奠基，以及衙署、宏文書院、考棚、文廟、城隍廟、武營、巡捕廳等設置，面積達 375 甲 6 分餘地，耗資 215,000 兩銀，其中宏文書院的倡建與城隍廟的修建就是吳鸞旂的努力成果。

　　出身自今臺中市神岡區市定古蹟筱雲山莊 (18) 的前清秀才呂敦禮（1871 年～ 1908 年），號厚庵，娶妻霧峰林家下厝林文明子林壽堂之女林氏月嬌（法名覺滿，創建后里毘盧禪寺），

曾任櫟社 [4] 社長，著有《厚菴詩草》，其詠臺中築城的詩作，題曰〈大墩新建府城〉：

村墟疏落認新城，平野荒蕪接太清；

細草常緣官堠長，閒花多傍女牆生。

月明尚少樓臺影，日暮初添鼓角聲；

父老衣冠存太樸，大成殿畔事春耕。

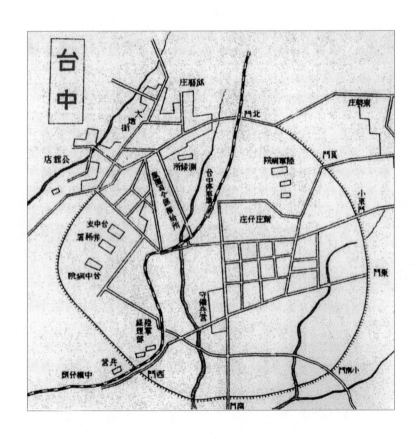

大正 5 年（1916 年）臺中省城範圍圖，標有東門、西門、南門、北門、小東門、小南門六個城門的位址。（引自《伊能嘉矩踏查日記》，蘇全正／翻攝）

詩中呈現出清末甫籌建臺中省城時的大墩（今臺中市），所見鄰近聚落盡是疏疏落落的一片平野荒蕪景象，城垣新建但門樓尚未完成，城內早晚都能聽聞擊鼓報時和號角鼓震的聲音，而大墩民風純樸，百姓皆能安分守己，新建的文廟大成殿旁猶見農民春耕的安居樂業景象。

另外，臺中省城的範圍和樣貌在日治初期伊能嘉矩的踏查日記中也留有重要的線索，紀錄了完整的省城範圍圖及東門、西門、南門、北門、小東門、小南門六個城門的位址。

日治時期《公學校用漢文讀本》中的臺中北門插圖，門額名為坎孚。（蘇全正／提供）

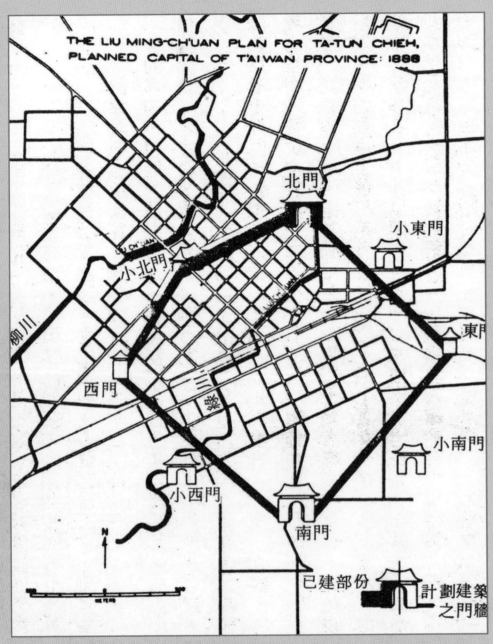

計畫興建的臺中省城圖，八個城門的位置已然確立，北門及四周城牆已建成，其餘七個城門尚待修築。（引自溫振華〈清代臺灣中部的開發與社會變遷〉，《國立臺灣師範大學歷史學報》，蘇全正／翻攝）

劇場演義 │ 演藝娛樂現代化的天外天劇場

另一幅光緒 14 年（1888 年）的「計畫興建的臺中省城圖」則已見八個城門的位置，不過僅有北門及四周城牆建立完畢，其餘七個城門尚未修築完成。其中，大東門額曰震威，樓名朝陽樓；大西門額曰兌悅，樓稱聽濤樓；大南門額稱離照，樓名鎮平樓；大北門額名為坎孚，樓曰明遠樓。

我們在明治 32 年（1899 年）出版的《臺灣名所寫真帖》中還可以看到臺灣省城西門外的影像，而目前省城遺跡只剩下大北門的門樓屋頂移置在臺中公園土墩上。這是由於明治 33 年（1900 年）進行臺中市現代都市計畫，打算拆毀省城，地方仕紳因不忍一代史蹟蕩然無存，便向日本殖民官方陳情，最終獲得日人同意的遷移結果；另外，也將臺灣府儒學考棚主樓湧泉閣移建於水源地，但戰後被拆除，現已無存。

清代考棚在日治初期也曾作為臨時警察署，大正 7 年（1918 年）拆遷至現址後改作為警察俱樂部，戰後除作為警察宿舍外，也將剩餘部分空間出租給百姓居住或開店營業。目前位在臺中市西區民生路 39 巷底和警察宿舍後方的考棚建築已被指定為臺中市的直轄市定古蹟。

清代臺灣中路建立省城的著眼點和整體考量是以軍事防務、戰略地位及平衡南北政務為主要目的，而劉銘傳的施政之所以較偏重中、北部的建設當然是因為臺灣的政經中心逐漸北移，臺北城設有布政使司衙門，加上 1860 年代開港通商後北

2016 年臺中公園內的臺灣省城北門城樓。（蘇全正／攝）

劇場演義｜演藝娛樂現代化的天外天劇場

昭和 11 年（1936 年）臺中公園內的臺灣省城北門城樓。（引自《臺中市概況》，蘇全正／翻攝）

路經濟事務日益繁多的關係，劉銘傳本身也以中路臺灣府「設備未周」為由暫駐臺北。

雖然劉銘傳將臺灣省城擇於現今臺中，但他也認為臺灣中部海防不足聯絡南北，必須依靠鐵路才能將南北連成一體，因此一方面進行興建省城的工作，另一方面也著手修築鐵路。然而光緒 17 年（1891 年）4 月，劉銘傳離職內渡後，繼任巡撫的邵友濂便以臺中不宜興建省城的諸多理由奏請將省會移到臺北城，中路省城建築工事就在光緒 18 年（1892 年）宣告中止。

有關省會北移的原因，除了涉及劉銘傳和劉璈的不和之外，因邵友濂屬於左宗棠派系，當中不無挾怨的可能性；不過，橋仔頭也因「地近內山，不通水道」、「瘴癘甚重，仕宦商賈，託足為難」、「文報常阻，轉運尤艱」而有發展上的限制。

鹿港丁寶濂（1864 年～1929 年），字式周，清末廩生，有詩〈追懷劉壯肅公〉：「海氛騷動寇東瀛，詔起將軍斧鉞征；柱可擎天悲末劫，戈難返日壞長城。六年未了生前事，三郡空傳身後名；惆悵大潛山下路，英魂憑弔不勝情。」正是追懷臺灣初代巡撫劉銘傳，詩作頗有人亡政息的感慨與惋惜。

儘管臺中作為省城的規劃設計遭到中止，但由此可知臺中在臺灣地位的重要性。因此，大正 9 年（1920 年）實施地方行政區劃改正時，臺中便進一步成為臺中州的州廳所在，取代清代彰化縣城，躍升為中部新興的行政與經濟中心。

| 被黑處理的清代大墩街發展眞相 |

　　令人不禁懷疑的是，清代大墩街是否真如邵友濂在奏摺中所述，建蓋了省城之後商賈不見增，治公不便且託足為難，城內真是這般蕭條，物質生活如此落後嗎？

　　臺中地區的開發是以舊稱犁頭店街 (19)（今臺中市南屯區）為最早，康熙 50 年（1711 年）已有武官張國請墾臺中盆地南緣的犁頭店一帶。雍正 2 年（1724 年）開放「熟番地」准許漢人承墾後，進入大臺中地區的漢人人數也逐漸增多。及至雍正 10 年（1732 年）在犁頭店街設立貓霧捒巡檢署，翌年設貓霧捒汛，設官治理和派駐兵力，更說明了犁頭店戰略地位的重要性和農業開墾及市街發展已達相當程度。

　　不過，也因為犁頭店街的發展，使其成為乾隆 51 年（1786年）林爽文抗清事件中攻略的首要目標，致使犁頭店街遭焚掠殆盡，嘉道年間才從戰火中再次重建，恢復昔日繁榮。

　　我們從南屯萬和宮現存的一口通過臺中市政府文化資產審議，於 2016 年 12 月 3 日登錄為臺中市直轄市定一般古物的道光 20 年（1840 年）銼鐵鑄鐘上的銘文，可看到當時參與獻贈的商鋪店號，如金春號、邱興號、致源號、和仁堂、漳美號等。

　　另外，2007 年臺中市西區藍興福德祠整地時，在地底發現一方道光 15 年（1835 年）所立，題名為〈新造安樂〉的石碑，

劇場演義 ｜ 演藝娛樂現代化的天外天劇場

臺中市直轄市定古蹟萬和
宮。（蘇全正／攝）

臺中市直轄市定一般古物道光 20 年（1840 年）銑鐵鑄鐘，銘文上書當時參與獻贈的商鋪店號。（蘇全正／攝）

連同一件「福德正神」殘碑石刻出土，此碑通過臺中市政府文化資產審議，於 2007 年 12 月 3 日登錄為臺中市市定一般古物。碑文經辨識後整理如下：

新造安樂

　　總理太學生林逢春、林開梅捐銀式拾肆員。羅福源捐銀式拾肆員。陳□□捐銀拾式員。張□□捐銀捌大員。新□□捐銀陸大員。錦春號、賴□覞、□□號、張鉞覞、吳景基、吳樂園，各捐銀肆大員。張成發、銀成號、賴營成、陳清漢、賴最、福春號，各捐銀參大員。新協記、□和記、新隆泰、李日春、林錦裕、林茂政、林偉覞、黃蘭慶、柏和號、朱愿覞、何四維、峻昌號、張和覞、陳□生、張□號、錩源號、楊□□、林梓成、

劇場演義 | 演藝娛樂現代化的天外天劇場

何娥观，各捐銀式大員。隆順號捐銀壹元肆毫。□興號、錦美號、德昌堂，各捐銀壹元三毫。盧明王、吳双俸、何禧模、何增渠、張新意、賴秀观、何增益、楊王留观、胡英观、林招观、林厚观、張老倡、李□观、□□號、日盛號、□興號、振興號、濟安堂、發源號、榮□號、合隆號、曾□油、茂□堂、振和號、林□□、羅□观，□□观各捐銀壹大員。林□泉、曾貴□、陳開春、陳天送、林漳禧、何乾观、黃成德、許束川、謝朝观、賴秀观各捐銀壹中員。

道光拾伍年乙未陽月吉立

根據日人岡田隆正所編《臺中沿革誌》指出：道光年間的大墩街與犁頭店街相距不遠，往來是依靠在溪流上搭設橋梁通行，但橋基多數已流失，僅剩石碑尚存，其中「新造安樂橋」（岡田文中誤繕為「新造安橋樂」）為道光 14 年（1834 年）乙未陽月所建。不過，經查詢，道光 14 年（1834 年）的干支是「甲午」而非「乙未」，岡田氏所謂的「新造安樂橋」建於道光 14 年（1834 年）乙未陽月可能是「道光拾伍年乙未陽月」之誤。此外，跨越柳川的橋梁尚有道光 24 年（1844 年）6 月重建的最樂橋、咸豐元年（1851 年）10 月興造的水樂橋。除了上述，通往大墩街入口的還有道光以前即已架設存在，同治

臺中市西區藍興福德祠出土的道光 15 年（1835 年）「新造安樂碑」，從辨識後的碑文內容可知 19 世紀中葉的大墩街人口和商業已相當發達。（蘇全正／提供）

11 年（1872 年）8 月重建的萬安橋。這也說明了臺中市境內水系密布，需搭設橋梁便利市街、聚落之間往來通行的必要和事實。

由此可知，《新造安樂碑》可能是清代大墩街通往犁頭店街的要道，跨越柳川的橋梁捐款題名碑記。而此碑乃是由太學生林逢春擔任總理，號召商家鋪戶及地方人士共同捐款，從碑文中的錦春號、銀成號、福春號、新協記、□和記、新隆泰、柏和號、峻昌號、張□號、錙源號、隆順號、□興號、錦美號、德昌堂、□□號、日盛號、□興號、振興號、濟安堂、發源號、榮□號、合隆號、茂□堂、振和號等商號，顯見 19 世紀中葉大墩街人口和商業已然相當發達。至於藍興福德祠，可能就位於這個重要孔道上，成為看守橋梁和農業發展的土地公信仰。

再從道光至同治年間，緊鄰大墩街衢的柳川至少搭建有新造安樂橋、最樂橋、水樂橋及萬安橋等四座橋梁來看，可知架設橋梁所需經費必須是人口數、工商業、農業發展達到相當程度後才足以支應，這也證明了大墩街在清末的經濟規模絕非小農村的聚落型態。

清代中晚期的大墩街街衢已然店鋪林立，儘管位於省城北門至小北門段的外圍邊上，但在提供商旅或洽公官民的生活所需上應當不致匱乏。另外，吳鸞旂原居住在靠近東區旱溪庄附近的東勢庄，因此營建省城工事時就須待在省城內，其後更在

火車站以東一帶進一步營建原聚落即新庄仔庄，以及占地1,500餘坪的吳家公館，作為招待官員及賓客的處所，格局則為二進多護龍式傳統建築，園內小橋流水，美不勝收，且四周構築斗子砌紅磚鑲綠釉花窗牆，入口為高達二、三層樓高的更樓，作為安全防護管制進出的孔道。

以上種種皆證明大墩街事實上並非小農村聚落或人煙荒蕪的地方，在劉銘傳去職後，邵友濂顯然刻意扭曲。這種說法非但代表著左宗棠派系官員在臺政治鬥爭的反撲，也因此犧牲了已略具規模和耗費相當財力的臺中省城後續的建設發展而終告停頓，並造成政歸北臺的不爭事實。此種缺憾一直要到光緒21年（1895年）臺灣割讓給日本後才終於獲得彌補。

｜日治初期充任公職與抗稅的消極抵抗｜

日治初期吳鸞旂曾任招安委員，明治30年（1897年）4月時獲臺灣總督府頒授紳章（臺中縣吳鸞旂外三十名紳章付與），並敘勳六等（同時間敘勳者計有林紹堂、吳鸞旂、楊吉春、林衛泰），翌年（1898年）出任臺中縣參事，明治34年（1901年）更陞為臺中廳參事。大正3年（1914年），吳鸞旂與林獻堂（1881年～1956年）、林烈堂（1876年～1947年）、辜顯榮（1866年～1937年）、林熊徵（1888年～1946年）、蔡蓮舫（1875年～1936年）等人同為臺中中學校 [20]（今臺中

【右頁圖】明治30年（1897年）臺灣總督府公文類纂中吳鸞旂授紳章及敘勳檔案。（引自國史館臺灣文獻館臺灣總督府公文類纂資料庫，蘇全正／翻攝）

劇場演義｜演藝娛樂現代化的天外天劇場

明治三十一年臺灣總督府公文類纂永久甲種

第二門　賓視官職
服制徽章

件名

目錄月紙
臺灣總督府民政部

一、視制服制
二、逃查服制施行ニ關スル通達
三、逃查服裝規則
四、看守服裝規則改正
五、警視服制制定
六、巡查看守ノ夏服制ヲ略著
七、逃查看守防ノ冬制ノ夏服用ニ關シ澎湖廳長
八、巡查看守逃查ノ冬制服改正ニ關シ閔々件

ー、警察官地方廳ニ於ケ服裝徽章及警察署長署擁章
二、警察署堤灯徽章及警察署長署擁章
一、臺中縣吳鸞旂外三十名ニ紳章附與
一、臺南縣蔡用琳外六名ニ紳章附與
一、同上枝ニ外景况報告
一、日本臣民トナリ シ者ニ對スル件
一、臺北縣陳慶勳外六名ニ紳章附與
一、同上枝ニ外景况報告
一、同上枝ニ外景况報告
一、澎島高繁外八名ニ紳衿興
一、苗栗縣吳克明外六名ニ紳章附與
一、湖島高繁外八名ニ紳衿興
一、同上枝英式景况報告
一、八國上坡英式景况報告
一、勳章技衆ニ關スル年齡ハ十六歲以上ノ

目錄用紙
臺灣總督府民政部

一、法院職員ノ身分ニ關スル事項法院長檢察
　官會議ノ要
二、職員ノ俸給看ハ其中方ニ
三、赤職ノ實施ニ關連查珠ニ用方ニ關スル内訓
四、官等体絵令改正ニ就テ辭令ノ交付せス
五、新官制實施ニ就テ退身ニ關スル退身令
　手續
六、話訟書記以下退身令ニ關スル頃中
二、權ニ官吏ノ配屬方及命免手續中政正
二、銓衡退員規程
二、話訟ニ警察書記ヲ兼ヌ
二、法院ニ警察書記ヲ兼ヌ

叙位

八、柑川銀二郎外十二名ニ叙位上奏
九、鐵邯克通三名ニ伝記伝達
一〇、加藤礼二郎外四名陛叙辭令傳達
三一、若林志郎賜條
三二、看仙翁牧師賣外石柏西報告
三三、林紹實英式外叙位ニ關ス件

叙勳

三四、帶勳外國人及主人傳過方通牒
三五、英國人トーマス、バークレー及ダンカン、アルカツソン叙
三六、英國人及主人傳過方通牒
三三、林紹實英式外、婿吉奇、林伯泰叙勳ニ關ス件
三六、勳章傳捷文ニ關スル通牒

一中）創校委員之一，其資產總額在大正 5 年（1916 年）時約有 90 萬元，僅次於鹿港辜顯榮。大正 11 年（1922 年），吳鸞旂逝世，遺言葬於今臺中市太平區車籠埔冬瓜山吳家花園內。

光緒 21 年（1895 年）乙未割臺之際，各地武裝抗日迭起，地方亦有土匪乘勢劫掠富豪之家，吳鸞旂就曾經偕同妹妹吳杏元（林染春妻，子為林子瑾）前往霧峰林家投靠林獻堂之父林文欽避居。對此，林獻堂在日記中提到：

明治二十八年，她（按：吳杏元）與鸞旂叔避土匪掠奪，請先父為之保護，因是兩家移來同住，迨至明治三十年將移歸臺中。

由於林家擁有武力，安全較為無虞，因而經過兩年（1897年）局勢趨於穩定後，吳鸞旂和吳杏元才重返臺中新庄仔的吳家公館，當時地址是臺中廳藍興堡臺中街土名新庄仔 1 番地之40。明治 28 年（1895 年）10 月至明治 32 年（1899 年）1 月，吳鸞旂曾無償提供公館 11 間房舍作為臺中憲兵隊第 2 區本部的駐所，可能就跟他擔任招安委員，避居霧峰兩年期間，及於明治 31 年（1898 年）出任臺中縣參事有關。

明治 34 年（1901 年）1 月，吳鸞旂與同為臺中縣參事、敘勳六等及授紳章的神岡社口大夫第林振芳[21]（1832 年～

1905 年）共同擔任臺中辦務署新築委員長兼監督，兩人也都捐助鉅額寄附金贊助。

　　對於地方傳統公共事務的參與，吳鸞旂向來不落人後。例如創建於光緒 10 年（1884 年）的臺中城隍廟，原址在今臺中市東區樂業里的原臺中糖廠內，乙未割臺後被日軍接收作為營房，後來因為地下水位高，環境較為潮溼不適合居住，但地下水豐沛適合發展工業，因此又改作為帝國製糖株式會社用地，不過這樣一來將造成城隍神像輾轉迫遷至民居二次；吳鸞旂有感於神不安位將對於地方不靖有所影響，便與林子瑾、林汝言發起遷建計畫，並向臺灣總督府提出申請，明治 45 年（1912

臺中城隍廟捐款獻納人：林子瑾獻納廟地、吳子瑜捐款 1,000 元、林烈堂捐款 129 元、賴慶炎捐款 500 元、林耀亭捐款 757 元、林祖藩捐款 100 元、林垂訓捐款 200 元。（蘇全正／攝）

【上圖】臺中城隍廟。
（蘇全正／攝）

【右圖】昭和 5 年（1930
年）時，由南屯庄等信
徒捐獻的臺中州府主城
隍尊神銘款銅鐘。（蘇
全正／攝）

年）4月2日獲得總督府核准，工程費預計為 20,000 元，同年 4月 29 日正式著手移建，工程費約 12,000 元。

及至大正 10 年（1921 年），林子瑾、吳子瑜、林焰墩、林祖藩、賴慶炎、林澄坡六人成立委員會，並由林子瑾獻贈建廟基地，擇廟址於今臺中市南區合作街 94 巷 50 號。吳子瑜也捐款 1,000 元，在林子瑾、吳子瑜兩表兄弟一同前往中國北平發展後，重建工作則改由林焰墩負責。大正 14 年（1925 年）時，大殿竣工落成，城隍廟內還供奉六人的長生祿位以茲誌念，表彰他們對城隍廟重建的貢獻。

不過吳鸞旂並非事事配合日方，其亦有抵制的性格，例如明治 44 年（1911 年）6 月 15 日《漢文臺灣日日新報》就報導：

1998 年吳鸞旂公館拆除地上建物後的情形。（引自《臺中市中區、西區、東區社區總體營造資源調查計畫報告書：東區資源調查報告》，蘇全正／翻攝）

昭和 11 年（1936 年）
吳子瑜的過房子吳京生
與日籍友人攝於吳家公
館內及更樓前。（郭双
富／提供）

中部第一流財產家吳鸞旂氏，因營業稅滯納，近被當道差
押其財產。聞吳氏雖擁巨資，而租稅屢屢滯納……

以吳鸞旂的身分地位和財力竟然還敢多次抗稅遲繳，這不
僅成為當時大眾關注的新聞，更導致官廳將其財產差押禁制，
同時披露於官營報紙上，殺雞儆猴的警告意味濃厚。即使吳鸞
旂最後仍妥協繳納各項租稅，但從中也不難看出其儉樸和敢於
反對不合理賦稅制度的個性。

戰後位於臺中市東區翰第里大智路 30 號的吳鸞旂公館，
土地輾轉讓售於臺中市政府，然而卻因未加以妥善管理，陸續
被遊民及 1949 年隨國府撤退來臺的外省軍民占住或由外地人
低價輾轉承租，就連曾有百餘戶居住的公館內部空間也被搭設

【右頁圖】移置於臺中
公園內的吳鸞旂公館更
樓，2016 年仍保存良
好。（蘇全正／攝）

幾經周折，吳鸞旂公館
目前改為大魯閣新時代
廣場。（蘇全正／攝）

了無數違建物，格局破壞殆盡，昔日風采大為失色，令人不勝

唏噓。

經多年纏訟後，臺中市政府將之標售，地上建物大多被拆

除，唯獨吳鸞旂公館的入口更樓因別具特色，眾議將之拆卸後

移置於臺中公園內復原保存以茲紀念。可惜公館的空地閒置多

年，還一度被不肖者偷偷傾倒廢棄物，造成民怨。1998 年後，

現址改建為大樓，先是德安百貨公司，近年則改稱為大魯閣新

時代廣場。

｜一身斐然文采的吳鸞旂｜

吳鸞旂在藝文活動的參與成果十分豐碩，除了與文人有所

交誼外，也頗具文采。

明治 44 年（1911 年）4 月 3 日，清末民初才子梁啟超 (22)
（1873 年～ 1929 年，字卓如、任甫，號任公、飲冰子，別署
飲冰室主人，廣東新會人，為中國近代思想家、政治活動家、
學者、政治評論家，曾參與清末的戊戌變法）應林獻堂之邀訪
臺，寓居於霧峰林家萊園五桂樓，南下臺中期間，吳鸞旂曾於
其公館設宴招待梁啟超和其隨行的湯覺頓、女兒梁令嫻，並有
張麗俊等文友作陪，席間梁啟超也演說一番，將近晚上十點才
散席。

　　吳鸞旂亦曾於大正 8 年（1919 年）擔任《臺灣文藝叢誌》
評選詩文的評議員。《臺灣文藝叢誌》是由林子瑾提倡創辦，
社址、聯絡電話就設在瑾園 (23)，使用的也是林家的電話號碼。
吳鸞旂是林子瑾的舅父，他也是清末例貢生，文采尚有可觀之
處，因此由吳鸞旂出任《臺灣文藝叢誌》詩文評議員尚稱允當。

　　稍嫌可惜的是，吳鸞旂雖為光緒年間的監生，詩文卻散落
留存無多，我們只能從史料中爬梳整理相關活動如下：

　　首先，吳鸞旂曾參與彰化吳德功（1850 年～ 1924 年）有
關彰化地區婦女節孝事蹟的採訪。

　　先介紹一下吳德功。吳德功，字汝能，號立軒，彰化人，
同治 13 年（1874 年）補廩生，其後七度鄉試未中。其曾設帳
鄉里，又兼任彰化育嬰堂董事，收容棄嬰五千餘人。光緒 12
年（1886 年），吳德功奉旨採訪節孝，並於翌年倡建彰化節

孝祠 (24)。光緒 17 年（1891 年），臺灣省設通志局，吳德功受聘主修《彰化縣志》。乙未割臺之際，吳德功應臺灣府知府孫傳袞之邀，籌設聯甲局，任聯甲局正管帶，對地方社會秩序的維護貢獻良多。到了日治時期，吳德功曾任彰化辦務署參事、臺灣舊慣調查會囑託、彰化廳參事、臺中廳參事，並於明治 35 年（1902 年）獲頒紳章。大正 6 年（1917 年）時，吳德功與黃臥松、吳上花、楊吉臣等人創設崇文社，並擔任首任社長。至於吳德功的著作則包含《戴案紀略》、《施案紀略》、《讓臺記》、《觀光日記》、《瑞桃齋詩稿》、《瑞桃齋文稿》、《瑞桃齋詩話》等。

明治 33 年（1900 年）3 月 5 日，第四任臺灣總督兒玉源太郎、民政長官後藤新平合力在臺北淡水館（清代登瀛書院）召開為期兩天的臺灣揚文會，邀請在臺具有前清科舉進士、舉人、貢生、廩生功名者參加盛會，最終計有 72 名與會，會中針對三道策議題目：修保廟宇、旌表節孝、救濟賑卹，以八股文形式書寫作為對臺灣總督的施政建言，並結集出版。吳德功就是從彰化搭乘火車北上參加，並發表〈旌表節孝（孝子、節婦、忠婢、義僕）議〉，建議臺灣總督責成各地廳治贊助或賜匾以恢復彰化節孝祠，以及奏請天皇敕令各縣節孝忠義祠樹石立碑或敕賜匾額以獎掖砥節礪行的善良風氣。除此之外，吳德功也將揚文會的緣起和參加過程記載成書，名

為《觀光日記》。

　明治35年（1902年）時，吳德功和吳鸞旂、周連山、楊吉臣等人請旌表貞烈節婦四名，分別是：貞烈節孝婦林楊氏，貓羅堡霧峰林資鍠之妻；烈婦世張氏，彰化南街世南金之妻；節孝婦許李氏，彰化北門許滄浚之妻；節孝婦林吳氏，彰化柑仔井生員林鴻鈞之妻。後經彰化廳長須田綱鑑許可，准其自備神主，入祀彰化節孝祠，春秋二祭配享。其中，〈貞烈婦林楊氏傳〉正是由吳鸞旂負責訪錄，以下為全文內容：

　貞烈婦林楊氏，彰化街歲貢生楊春華之女也。平時秉性端莊，聞父言古烈女之軼事，心恆慕之。年十六，許字於臺中霧峰林觀察朝棟之長男資鍠，未及親迎過門，而資鍠卒焉。氏聞訃悲泣欲絕。其父率氏奔喪，遂不再歸。其翁姑另擇靜室居之。又以媵婦奉待左右。氏除見翁姑而外，未嘗出閫門與人語。迨乙未讓臺議成，氏翁欲挈眷渡泉州，氏拜辭翁姑曰：「氏以未亡人不即從夫於地下者，為繼嗣未立故也。今遭國難，請以諸叔之子為夫立後足矣。斷不跋涉波濤、出頭露面也」。是夜以白綾懸床上，翌早婢僕入視之，則氣絕矣。細視其頸，並無帛痕，蓋因其志已決，故其魂先離，不待綾帛之接頸而後歿也。其所傭媵婦，守節多年，亦縊死於其側焉。

貞烈婦林楊氏乃是霧峰下厝林朝棟的長媳，因乙未割臺的抗日行動驟起，林朝棟雖曾率軍抵禦、協防中路，但終究事不可為，於是奉清廷在臺官員需內渡回朝述職之令，決定攜眷返回閩省以避戰亂，林楊氏雖未及過門仍決意身殉以全志節，就連服侍的義傭嬬婦也隨之縊殉，可謂貞烈。

　　由於吳鸞旂與林朝棟有表兄弟之誼親，因此知悉上情進而採錄。另一方面，吳鸞旂的母親林純仁在吳景春死後為其守節，吳德功將其節操事蹟呈報朝廷旌表而獲准建坊入祠，吳鸞旂遂率先捐款獻地倡建節孝祠，也與吳德功至豐原、神岡、大雅一帶募捐，戮力為公。

　　其次，吳鸞旂與連橫（1878 年～ 1936 年）(25) 也有往來。連橫因從事《臺南新報》漢文欄記者工作，接觸日人尾崎秀真而對先史學（即考古學）產生研究興趣，因此在考古出土的遺物和現象上深感興致，認為探索「臺灣有史以前之史」極為重要，所以主張：

　　而欲研究有史以前之史，不得不求諸石器。顧其事有難為者：學識未深，則不能鑑別；資力未充，則不能搜羅；時日未裕，則不能考證。

　　連橫的這番主張對後來撰述《臺灣通史》有很深的影響和

助益。其對考古的嚴謹，由幾個事例可窺知一二。例如他曾在訪得文獻上所載清代臺南法華寺僧所購藏，至日治時期輾轉流落市肆為臺南三郊所得，傳聞屬明朝寧靖王朱術桂所有的玉笏資訊後，親自審視該玉笏欲加以考證真偽。大正6年（1917年）中部林氏聯合宗祠（現為臺中市直轄市定古蹟）遷建於臺中市南區操馬埕（臺中市南區國光路55號）現址，由樹仔腳林耀亭（1866年～1936年）負責現場監工時，工人掘地3尺發現一把斷柄「石劍」，連橫還專程北上臺中向林耀亭索觀該石劍，並在《雅堂文集》中撰寫〈石器〉一文加以考證。

　　與林耀亭相善的吳鸞旂，可能就是從林耀亭處聽聞連橫對出土石器有興趣，因此轉告連橫關於光緒年間發生在臺中烏日，有漁夫在烏溪的河域中撈得一件玉笏並攜至彰化縣城的市面上求售，但不知最終為何人所購的往事。連橫在考述前揭臺南三郊所藏的玉笏歷史時，也把吳鸞旂的口述納入文中，同時感嘆無志趣相同者能一起討論臺灣有史以前之史，只能靜待來日。

｜吳鸞旂拓殖的壯麗河山｜

　　財力厚實的吳鸞旂主要是從事土地開發和米穀收購買賣的經營，他在日治時期參與了多筆土地開發或投資案，最早出資加入的是南投竹山林月汀（1870年～1931年）主導的布嶼拓

殖公司，公司設址在斗六廳布嶼堡大莊（今雲林縣二崙鄉），以經營農業為宗旨。

林月汀本名林溪州，曾追隨霧峰林朝棟辦理隘務，後以功授五品把總職，及補正哨長。日治初期協助平靖地方，受日人擢升歷任區長、參事、授紳章，也創建竹山敦本堂厝邸。關於林月汀的開墾地有二處，摘述資料如下：

一是明治39年（1906年）6月28日，受臺灣總督府指令第1745號許可，斗六廳布嶼堡番社莊（今雲林縣二崙鄉）、大莊（今雲林縣二崙鄉）、舊莊（今雲林縣崙背鄉）、草湖莊（今雲林縣崙背鄉）、貓兒干莊（今雲林縣崙背鄉）官有原野面積1,468甲9釐3毛6絲，豫約賣渡之件，係林月汀一人名義，經於明治39年（1906年）7月讓與本公司。

二是明治38年（1905年）年9月14日，民殖第1425號許可，斗六廳西螺堡後港莊官有原野面積638,573坪（換算約191.591甲），豫約賣渡之件，係李錦、李品三、李謀番三人名義，經於明治41年（1908年）賣渡於本公司。公司預定存立期限，自明治39年（1906年）7月起，至大正5年（1916年）7月止，滿十個年為定。公司資本金總額為152,000元，分作1,520股，每股金100元為定。公司股主姓名和持有股額如下：林月汀500股、吳鸞旂270股、林獻堂220股、林階堂210股、曾文川200股、林瑞騰100股、謝道隆20股。公司組織設公

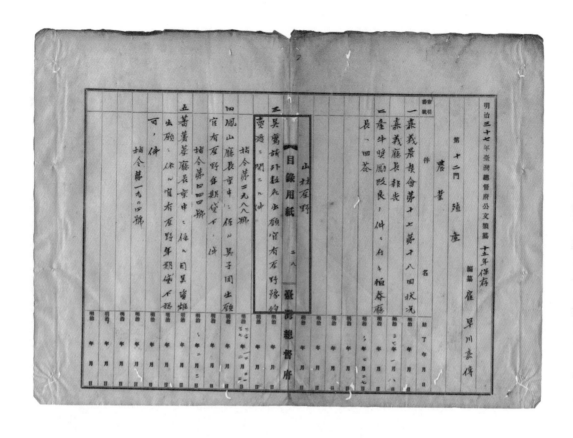

明治 37 年（1904 年）吳鸞旂等人向臺灣總督府提出的「出願官有原野豫約賣渡」申請。（引自國史館臺灣文獻館臺灣總督府公文類纂資料庫，蘇全正／翻攝）

司長、副公司長各 1 名，監事 4 名，支配人 1 名。

　　其中除林獻堂兄弟外，曾文川（與林獻堂為世交）、林瑞騰（林朝棟第五子）都是霧峰人；謝道隆（1852 年～ 1915 年）則是豐原烏牛欄庄人，光緒元年（1875 年）曾入試臺灣府學就讀，與丘逢甲、神岡呂家、大雅張家往來密切，戰後有《小東山詩存》行世。明治 41 年（1908 年）8 月 16 日，謝道隆曾向吳鸞旂出借當時頗為時髦的留聲機在公開場合播放，想必兩人交情深篤。

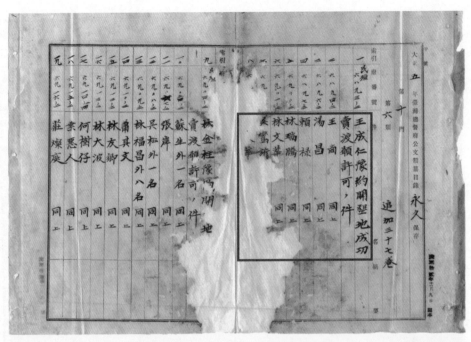

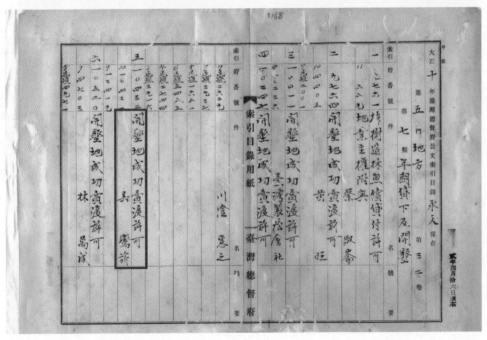

劇場演義 ｜ 演藝娛樂現代化的天外天劇場

其後林月汀的女婿楊子培入股取代謝道隆，而吳鸞旂過世後也改由吳子瑜繼承，但自大正11年（1922年）正式成立已十年，經營成績並不好，最後清算除了林月汀、楊子培的股票留下之外，其餘全部買回，改由林月汀自任社長，布嶼株式會社的公司土地達二千多甲。

此外，明治37年（1904年）時，吳鸞旂等人也向臺灣總督府提出「出願官有原野豫約賣渡」的申請。大正5年（1916年），吳鸞旂與王成仁、林瑞騰、林文華等八人向臺灣總督府申請民間土地開發的「豫約開墾地成功賣渡願許可」，到了大正10年（1921年），吳鸞旂開墾地成功並獲得臺灣總督府賣渡許可。

除了土地開發投資，明治36年（1903年）吳鸞旂與林朝棟三子林季商（祖密）、清水蔡蓮舫、鹿港施範其、苗栗仕紳劉鴻光等與日人安土直次郎等合資兩萬元在大墩街上創立中部臺灣日報社，由安土直次郎任社長，吳鸞旂為報社取締役（董事）。

明治38年（1905年），吳鸞旂又投資由彰化吳汝祥發起中部大租戶以大租權補償債券當資金，集資22萬元成立的株式會社彰化銀行，第一屆董事會由吳汝祥擔任專務取締役（常務董事、總經理）。明治44年（1911年）時，吳鸞旂、林獻堂、陳質芬等當選為監察人。

【左頁上圖】大正5年（1916年），吳鸞旂等人「豫約開墾地成功賣渡願許可」文件。（引自國史館臺灣文獻館臺灣總督府公文類纂資料庫，蘇全正／翻攝）

【左頁下圖】大正10年（1921年），吳鸞旂「開墾地成功賣渡許可」文件。（引自國史館臺灣文獻館臺灣總督府公文類纂資料庫，蘇全正／翻攝）

明治 39 年（1906 年），臺灣總督府為籌措經費以求寬裕財源便成立彩票局發行彩票，由於搶購熱潮引發了違反日本國內法令的爭議，明治 40 年（1907 年）3 月臺灣總督府被迫停止發售，前後總計發行 5 期彩票，當時全臺共指定 25 個大盤經銷商，吳鸞旂與日人小鹽元太郎就是臺中廳的指定經銷商之一，顯見其地位和財力深受日本殖民官方信賴。

　　儘管如此，明治 44 年（1911 年）吳鸞旂也曾與清水蔡蓮舫 (26) 集資向臺灣總督府申請成立臺中銀行卻因故被駁回而中止，後來又與霧峰頂厝林烈堂 (27) 合作集資 200 萬元資金做相關投資。林烈堂歷任臺中廳參事、臺中州協議會員、臺灣商工銀行、華南銀行董事等職，明治 35 年（1902 年）獲頒紳章，其在臺中新庄仔庄的公館（今臺中市東區新庄里大公街）距離吳宅公館並不遠，雙方互動密切且有資金往來。其實早在明治 42 年（1909 年）5 月時，就有報載吳鸞旂與林烈堂、清水蔡蓮舫欲合作於臺中設立製糖株式會社，後來也由林烈堂擔任臺中製糖株式會社社長，不過製糖事業牽涉極廣，包含甘蔗原料採取區、收購價格及運輸輕便鐵道鋪設等龐大資金、設備、甘蔗原料區取得及彼此高度競爭等問題。

　　大正 7 年（1918 年）1 月，吳鸞旂又與林烈堂發起臺中所有曾經紳章授與者的祝賀會，可見兩人交情頗深。大正 10 年（1921 年）3 月 21 日，記者黃旺成與林烈堂同去吳鸞旂家，

先討論隔日臺中市協議會開會時，欲取芭蕉組合之利權作為市基本金的方案。林耀亭也是會議參與人，黃旺成在日記中評論道：林耀亭的意見主旨穩健，吳鸞旂雖成竹在胸，然而言詞虛泛，不能統一，至於林烈堂則是先有活氣，後即消沉，認為其缺乏辯才。

大正 11 年（1922 年）3 月 27 日吳鸞旂病逝，而大正 10 年（1921 年）其子吳子瑜便已自中國回臺。吳鸞旂的喪禮是在同年 12 月 7 日辦理超度普施法事，黃旺成到現場採訪時有以下的觀察：

至新庄仔觀吳家普施，祭品滿庭，以百席計，觀者如堵，門為之塞。聞其總務遜庭君云，夜辦食單五百，一任相幫者、不幫者肆意集食。

足見吳家財力雄厚，可以備辦百桌祭品，以及提供晚上五百人份的飲食任人取用。

是年 12 月 8 日吳鸞旂出殯，黃旺成在日記的評語為：

本日臺中富豪吳鸞旂氏出殯，居停為之點主。十二時過，行烈〔列〕從大正町經過，聯軸約有兩、三百枝，會葬者百餘人，諸般設備甚屬幼稚，雖費多金，不見價值。

劇場演義 │ 演藝娛樂現代化的天外天劇場

由黃旺成的描述中約略可以想像吳鸞旂的出殯行列及場面浩大，弔祭的輓聯有兩、三百幅，現場參加公祭的也有百餘人，可謂倍極哀榮；至於擺設被評論為流於鋪張庸俗，若以人死為大而言，也是人情之常。

另外，黃旺成於同年 12 月 20 日與朋友出遊時，也特地辭別友人獨自前往太平山區冬瓜山，「見子瑜氏家族墓地，登絕嶺賞子瑾氏先墳」，可見吳子瑜營建的吳家墓園 (28) 在當時乃至於今日來看，其格局規模、新穎前衛的作風及其建築美學、藝術性仍無出其右者。

事實上，吳家墓園也是日治時期文人墨客參觀賦詩的對象，例如昭和 2 年（1927 年）2 月 4 日時，林獻堂就與日人藤井

【左頁圖】吳鸞旂墓園被列為臺中市直轄市定古蹟，圖為吳鸞旂與父親吳景春的合立墓碑。（蘇全正／攝）

夫婦、子猶龍、媳愛子一行四人同往車籠埔參觀吳鸞旂表叔之墓。昭和5年（1930年）6月9日，林獻堂偕同其妻楊水心、三子雲龍、女關關、女婿天成，並邀阿雨、堂弟媳吳映雪前往太平東山別墅，先至車籠埔下車，由吳子瑜的妻女前來迎接，林獻堂先乘轎到東山別墅，隨後再去參拜吳鸞旂墓，吃過午餐後，又接著享用荔枝和遊賞花園，直到下午五點才賦歸。戰後東山別墅連同墓園一併出售給建商闢建社區建案，幸好建商未刨除墓園而得以保留，後來又被政府列入古蹟文化資產保存和維護，歷經九二一震災的危害後，戮力恢復原貌，確實有銘記以誌後人的必要。

前文所說的林耀亭[29]，臺中樹仔腳庄人，字聯輝，號守拙，別稱樹德居士，是晚清末代的秀才，中部櫟社詩人，著有《松月書室吟草》。其子林湯盤，戰後曾任國大代表，創建樹德工專，現改制為修平科技大學。林耀亭歷任臺中辦務署參事、臺中地方法院囑託、樹仔腳區庄長、臺中區長、臺中公共團副團長、臺中市協議會員等職，明治35年（1902年）獲頒紳章，亦屢獲殖民官方的各種獎賞。林耀亭也曾參與捐資倡設臺中中學校，建設中部林氏大宗祠和編修林氏族譜等。在吳鸞旂過世後，林耀亭曾輓詩以誌：

哭吳鸞旂君

【左頁圖】1910年代著清末秀才服飾的林耀亭。（郭双富／提供）

莫逆神交淡始長，卅年回首總堪傷。

何期甲子重逢日，大夢昏昏了一場。

杖履追隨笑語親，不堪灑淚話前塵。

曾聽鴻論渾忘倦，憶到名言最愴神。

節孝祠移首樂捐，磺溪分胙會諸賢。

平生雅有同心契，此願難償意惘然。

黌門秀士早蜚聲，曩日才華達帝京。

改隸尚參新政事，勳垂竹帛永留名。

福星橋畔立多時，話到滄桑感慨之。

轉眼人天成永訣，牙琴從此有誰知。

生前巨細必親經，端藉犀心一點靈。

料想九原無憾恨，森森蘭玉滿階庭。

　　詩中流露出對吳鸞旂的懷念與敬仰。由於兩人皆為晚清秀才出身，政權改隸後同樣出任殖民行政地方官職，也曾針對市政發展同參共事，因而成為莫逆之交，遂有惺惺相惜的惋嘆。此外，詩句也點出彰化節孝祠移建時吳鸞旂率先捐款響應的軼事，以及吳鸞旂事無分大小、事必躬親的個性。

　　吳鸞旂過世後三年（1925 年），林耀亭在重陽節至太平冬瓜山吳家別墅參觀，祭拜吳鸞旂墓園後寫下了一首詩：

乙丑重九謁故人吳鸞旂翁墓

冬瓜之麓水瀠洄，壯麗河山壽域開。

滿眼蓬蒿遺骨在，墓門憑弔故人來。

鬱蒼佳木正扶疏，四顧煙雲任卷舒。

此是瑯環真福地，怡園風景有誰如。

歷遍紅羊劫後塵，牛眠馬鬣宅吟身。

年年此日題糕會，定有新詩慰故人。

瑤琴絕響未多時，流水高山憶子期。

寂寞泉臺堪慰藉，一堂絲竹奏壎箎。

　　詩中除了表達對吳鸞旂的懷念外，也表露出期待年年於重
陽節登高聚會，並賦詩誌念摯友的心願。

　　綜觀吳鸞旂的一生，其在清末臺灣建省與興築省城時出任
董工總理，奠定一己的歷史定位，而在其個人評價上，則有林
耀亭對其事無大小、事必躬親的精神印象，以及日治時期寓居
臺中的記者黃旺成 (30) 在《黃旺成先生日記》中稱吳鸞旂的為
人「一生儉不中禮」，即指吳鸞旂具有相當節儉的個性，都是
我們對於吳鸞旂在參與公共事務和處理家庭事務的公私領域上
珍貴的參考資料。

寧靜而廣闊的吳鸞旂墓園。（朱書漢／攝）

俠義肝膽

第四章

吳子瑜的風流倜儻與任俠事蹟

吳鸞旂的長子吳子瑜風流倜儻、能詩作文，天外天劇場正是由接管吳家產業的吳子瑜一手籌劃改建。個性任俠的吳子瑜，不僅和孫中山的革命事蹟及其曾住過的「梅屋敷」有著俠義因緣，建於吳家墓園旁的東山別墅亦有吳子瑜大器舉辦詩友聚會、賦詩吟詠的人文氣息。

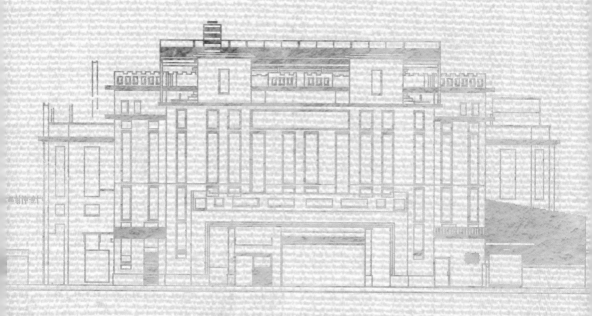

孫中山的粉絲與金援革命

吳子瑜（1885年～1951年），字少侯，號小魯，又號東碧，為吳鸞旂長子，櫟社會員，民間俗稱東碧舍。

早年在北平經商的吳子瑜曾經與孫中山有過來往，因同情孫中山的革命精神，曾多次捐鉅資襄贊革命。據說大正14年（1925年）3月吳子瑜獲悉孫中山逝世的消息時，曾在家中擺下香案設奠遙祭孫靈。戰後吳子瑜出售吳鸞旂公館和天外天劇場，並出資一、兩百萬元修葺孫中山來臺期間曾住過的臺北市「梅屋敷」，同時捐贈給臺北市政府作為現在的國父史蹟紀念館，亦承租部分館舍修建為「新生活賓館」。

「梅屋敷」旅館原為日治時期的日式高級料理店，由日籍大和辰之助夫婦創建於明治33年（1900年）。此一檜木造的瓦屋，面積約有四、五十坪，建物呈長方形，因庭院中種植從新竹移植的白梅兩百餘株，故名「梅屋敷」，意即盛栽梅花林的旅店。孫中山在大正2年（1913年）8月第二次來臺時曾下榻於此，並曾書贈「博愛」兩字墨寶贈與當時的主人大和宗吉，及其弟藤井悟一郎書寫「同仁」兩字作為紀念。

戰後梅屋敷為吳子瑜出資修葺後，由中國國民黨臺灣省黨部接管，初期部分房舍被改名為新生活賓館。1949年8月3日，林獻堂擔任臺灣省政府委員和臺灣省通志館館長，在尋覓作為臺灣省文獻委員會辦公會址時曾至此察看，他的意見是「次看

孫中山來臺期間曾住過
的臺北市梅屋敷，上為
旅館外觀，下為房間內
部。（蘇全正／翻攝）

吳子瑜的風流倜儻與任俠事蹟 │ **俠義肝膽**

國父紀念館將以作文獻委員會會址，稍小然強用之亦可以也。」不過省文獻會後來還是另覓他處辦公。

1986 年臺北市為進行臺北火車站鐵路地下化工程，梅屋敷因位於施工範圍，臺鐵工程處便與中國國民黨中央黨史會及臺北市政府協商，由臺北市政府向中國國民黨以徵收方式支付補償金取得逸仙公園及建物土地所有權，並由鐵路工程處協助拆遷館舍再於原址東北方約 50 公尺處依原式樣重建，連同 1954 年中國國民黨建黨六十週年蔣介石題字的墨寶碑亭亦徙置於園區內。是年 11 月 12 日竣工後，更改為逸仙公園及「國父史蹟紀念館」，1987 年 3 月 12 日正式對外開放。

國父史蹟紀念館目前位於臺北市中正區中山北路一段 46

臺北市逸仙公園入口處。（蘇全正／攝）

劇場演義│演藝娛樂現代化的天外天劇場

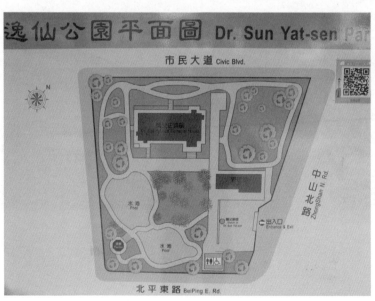

【上圖】臺北市逸仙公園內，矗立著孫穗芳博士2011年捐贈的孫中山銅像。（蘇全正／攝）

【下圖】臺北市逸仙公園平面圖。（蘇全正／攝）

劇場演義 │演藝娛樂現代化的天外天劇場

臺北市逸仙公園庭園景觀。（蘇全正／攝）

劇場演義 ｜ 演藝娛樂現代化的天外天劇場

臺北市國父史蹟紀念館外觀。（蘇全正／攝）

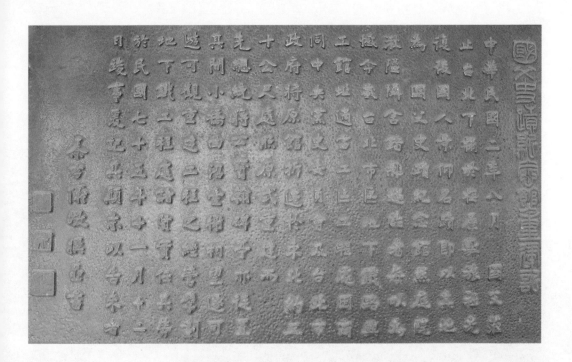

【上圖】秦孝儀撰書的「國父史蹟紀念館重建誌」。（蘇全正／攝）

【下圖】臺北市國父史蹟紀念館內部陳設。（蘇全正／攝）

劇場演義 │ 演藝娛樂現代化的天外天劇場

號的逸仙公園內，由臺北市政府工務局公園路燈工程管理處負

責經營管理。然而在公園和紀念館的相關簡介、秦孝儀撰書的

「國父史蹟紀念館重建誌」中，均未提及戰後吳子瑜輸款捐貲

購贈之事。

　　附帶一提，吳子瑜還曾捐獻中國國民黨鉅額的黨費，而獲

得蔣中正總裁頒贈「義風可親」的匾額。

寓平與幕賓於民國北洋政府

　　吳子瑜在中國期間曾與北洋政府的要員有所往來，尤其與

吳佩孚 (31) 熟識相善，而在北平出生的吳子瑜女兒吳燕生，後

來也成為了北洋政府吳佩孚的義女。由於吳子瑜與林子瑾既是表兄弟又志同道合，一起在北平寓居及發展，此時兩人的情誼遠遠超過後來與林獻堂的關係。

大正 10 年（1921 年）吳子瑜曾回臺後又再赴平，大正 11 年（1922 年）時，在北平的臺灣人成立「北平臺灣青年會」，吳子瑜與其他十餘人也加入該會，並聲援「臺灣議會設置請願運動」的活動。同年，吳鸞旂病篤，吳子瑜回臺後擔任臺中市協議會員。

大正 13 年（1924 年）因發生治警事件，林子瑾出逃到北平不歸，北平臺灣青年會在北平召開華北臺灣人大會，發表《華北臺灣人大會宣言》，斥責日本帝國主義的殖民統治，號召臺灣民眾聯合全世界被壓迫的弱小民族共同奮鬥。昭和 12 年（1937 年）2 月 1 日，林子瑾因母親吳杏元病篤曾由中國返臺。

吳子瑜全家是在昭和 10 年（1935 年）遷往中國，不料昭和 12 年（1937 年）爆發盧溝橋事件，加上吳家在北平的經商不順遂，因此又舉家遷回臺灣。林獻堂在同年 9 月 29 日的日記中記載著：「呂柏齡十時來訪，……又述子瑜之言，北華自治之憲法係子瑾起草，經他修改，旗幟用七星亦是他所定，聞之使人大笑不止。」這樣看來，真相如何恐怕是羅生門現象了。

1945 年第二次世界大戰結束後，林子瑾在北平成立「北平臺灣革新同志會」並自任會長，其宗旨是爭取滯留中國的臺

區東方街 14-1 號旁東方大鎮社區）內東側修建歐式墓園，成為日後的吳家祖墳（臺中市太平區東方一街 2 巷 3 號東方大鎮社區）。

墓穴前方以中國運來的泉州白石砌成埃及式方尖碑 9 座，吳家歷代先祖和元配，如吳景春、吳鸞旂和妻妾、吳子瑜和妻妾、吳燕生、吳東珠等均葬於此。墓園四周有早年吳鸞旂遍植的五百多株荔枝樹，每年 5、6 月火紅碩果結實纍纍，曾是騷人墨客吟詠的詩題，園內原有的一方石碑鐫刻〈丹荔遺愛記〉說明此荔枝品種名為「福州一品紅」，是吳鸞旂於光緒 19 年（1893 年）自福建攜回臺中栽種。日治時期因進行市區改正，吳子瑜採用枝條插枝法繁殖後獲得 518 株，而後移植至東山別墅。

吳鸞旂墓園旁的社區住家。（蘇全正／攝）

灣人權益和福利，在北平大部分的臺灣同鄉皆為革新同志會的
成員。吳子瑜則是擔任「北平臺灣同鄉會」會長，其目的在聯
誼及幫助在北平的臺灣同鄉。

| 怡園及東山別墅的賦詩閒居情 |

吳鸞旂過世前半年，吳子瑜便已自中國束裝返臺，大正
11 年（1922 年）吳鸞旂過世後，吳子瑜遵照遺囑在今臺中市
太平區車籠埔冬瓜山占地十餘公頃的吳家花園（臺中市太平

劇場演義 ｜ 演藝娛樂現代化的天外天劇場

【左頁圖、左圖】臺中市太平區東方大鎮社區原為吳家東山別墅,改建後,社區內仍保存著吳鸞旂墓園。(蘇全正/攝)

　　後來,吳子瑜在墓旁修築東山別墅,園內建有紅磚洋樓、噴水池、石橋、亭臺樓閣、流水造景等,拱橋流水環繞其間極盡豪華之勢,而吳子瑜也經常在別墅舉辦櫟社詩友的聚會和招待賓客,留下諸多吟詠酬唱的詩詞佳作供後人品味再三。另一處位在臺中市新庄仔吳鸞旂公館內招待賓客的庭園名為怡園,林獻堂和櫟社社友曾多次應邀作客和舉辦會員聯誼賦詩活動。

　　寓居新庄仔公館的怡園和太平東山別墅期間的吳子瑜對外交友情形和酬對活動極為頻繁,且出手闊綽,氣局盛大。例如大正12年(1923年)9月3日,當時吳子瑜尚未加入櫟社,而櫟社就在吳子瑜的怡園召開壽椿會(祝壽慶生會);同年10

吳鸞旂墓園的大門及入
口墓道。（蘇全正／攝）

月9日，吳子瑜又廣邀詩友在重九日（即重陽節）到東山別墅
舉行聯吟會。

另外，大正15年（1926年）4月3日，豐原張麗俊（1868
年～1941年）也曾搭乘火車前往臺中參加吳子瑜在櫻町公館
的怡園召開的「全島聯合吟會」。全島詩人先後到來，至下午
三點開會，計有187人參加。首先是由櫟社蔡子昭致詞，櫟社
陳懷澄（1877年～1940年）說明開會的原因後，蔡子昭又對
南北二部選舉二題，左右詞宗四名，並由詞宗出詩題，首題〈春
晴〉五律麻韻，次題〈歌唇〉湯韻，兩題俱限至五點交卷，送
詞宗評選。張麗俊所寫的〈春晴〉是：「散步東郊外，山光樹
色華，鶯聲金谷鬧，燕語夕陽斜。地疊文章草，天開錦繡花，
怡園等修禊，清景在詩家。」而〈歌唇〉則是：「含羞忍笑欲

吳子瑜（右）與嫡配蔡
綠蘋（左）的墓碑。（蘇
全正／攝）

聲張，手撥琵琶暗自傷，司馬青衫綠底溼，猩紅一點姹秋娘。」

是年 6 月 15 日，櫟社社員在霧峰林獻堂家中聚會，吳子瑜和王石鵬也是座上賓，翌日，由林獻堂推薦吳子瑜與王石鵬二人入社，獲社友們贊成。又同年 10 月 15 日，張麗俊前往臺中與詩社吟友先到吳子瑜公館吃過午餐後，接著參加吳子瑜當天邀集中、南、北各地的騷人墨客到太平東山別墅的「登高會」聚會。飯後則是雇用輕便臺車八輛乘坐至太平頭汴坑口，過了鉛線吊橋後下車，步行到冬瓜山東山別墅。

張麗俊也在日記中提到吳鸞旂墓園在當時的作工、規模、墳穴造型及高額造價上皆為全臺罕見：

其地約六、七甲，造築池臺樓閣、花木果樹，全島未曾有之廣大，墳穴亦未曾有之奇形，工事計算十年之久，費金預算二十萬員之多，可謂曠全島而首屈一指。

不過，臺南醫師文人吳新榮於昭和 13 年（1938 年）8 月 23 日參觀吳子瑜宅第時有不同描述：

格局不大，看起來比臺北林本源花園更為豪奢，曾是中南部惟一的豪族，而今竟只雇園丁在看守。這種寂寥冷落，令人對人生的意義有再思考的必要。然後又安排大家到冬瓜山的吳

家的另一花園——東園去參觀。沒有本家電話的指示，這繞著
鐵絲網的山間名園是不許任何人進入的，這個傳聞倒是很有名
的。吾等一行人耐著顛簸的路與酷熱，有時推車，有時步行，
終於到達冬瓜山山麓。東園主人吳子瑜所修築的父親吳鸞旂的
墳墓，其豪華程度可說是臺灣之冠。

吳鸞旂墓園的洗石子伸手、石椅及東山后土神位。（蘇全正／攝）

　　此外，吳新榮也反思後代子孫是否能守住這些祖先遺業？
他認為：

恐怕不用經過數十年，有一天會有牧童把牛繩綁在漂亮的大理石墓碑上吧。所以一個人如果沒有把偉大的事業貢獻給社會的話，社會也將會很快地忘掉其存在，無法保住其歷史吧。

吳新榮 (32) 可謂理性看待人世起伏，並出於善意的警言和提醒。說到吳子瑜對父親吳鸞旂的尊重與緬懷當是無庸置疑。昭和 17 年（1942 年）7 月 11 日是吳鸞旂 81 歲冥誕，吳子瑜特地選在怡園辦理詩會，林獻堂和其弟林階堂也專程從霧峰搭乘汽車前來拈香參拜，而當日參加的詩友包括櫟社傅錫祺、王則修、施梅樵、陳渭雄、楊子青、林春懷、林培英、林柏樑、葉榮鐘、莊垂勝等十餘名，詞宗是王則修、施梅樵二人，詩題為〈過怡園憶魯齋先生〉七律尤韻。

綜觀上述，吳子瑜對於傳統詩社的聯吟活動不僅止於社交活動的層次或附會風雅之舉，其實也含有其維繫傳統綱常倫理的堅持，這點在日本殖民統治時期顯得別有一番意義，值得我們細思玩味。

| 天外天劇場的誕生 |

大正 8 年（1919 年）時，吳鸞旂在家中庭園興建私人戲院供家人及親友休閒娛樂。從現存一張大約攝於 1920 年代的

吳家戲院照片，大略可研判出是吳鸞旂盛裝配戴勳章、紳章與內眷在戲臺庭園前合影；而戲臺的形式與霧峰林家下厝大花廳的外觀頗為類似，重簷歇山式的屋頂架構及拜殿式的戲臺表演空間，四周圍以木造欄杆，兀立在離地面一公尺餘的高處。

吳子瑜接掌吳家產業和管理大權後頗有大刀闊斧更張之勢，當時官媒《臺灣日日新報》便率先報導昭和 8 年（1933 年）吳子瑜將吳家私人戲院擴大，改成對外營業用的商業劇場，並與大甲洪棟樑、彰化謝欽漢等人合資經營，興建工程歷時三年，耗費十五萬餘元。

同年 9 月 14 日《臺灣日日新報》第 7 版〈南臺中櫻町に映畫演藝の劇場新築　同地の資產家吳子瑜氏が七萬餘圓を投じて〉報導，鑑於臺中市民唯一的娛樂館建物老舊危險，吳子瑜申請在楠町四／二興建蓬萊劇場獲得許可，劇場建地有 283 坪，為鋼筋混凝土二階式樣式，預計工程費七萬三千餘元，容納 690 名觀眾的最新建築，預計在昭和 9 年（1934 年）6 月中旬完成，建築工期十個月。

昭和 9 年（1934 年）1 月 30 日《臺灣日日新報》第 7 版又刊載〈臺中の蓬萊劇場吳氏の獨營に決定〉，披露臺中州臺中市協議會員吳子瑜決定在南臺中獨資五萬元興建「臺中蓬萊劇場」。由此可知，天外天劇場最初的名稱擬採用臺中蓬萊劇場，這也展現出吳子瑜多角化的產業投資策略。

劇場演義 │ 演藝娛樂現代化的天外天劇場

1920 年代吳鸞旂盛裝
與內眷於吳家公館內天
外天舊址的舊戲臺庭園
前的合影。從照片中可
看出戲臺形式頗似霧峰
林家下厝大花廳，屋頂
架構為重簷歇山式，戲
臺表演空間是拜殿式，
四周則圍以木造欄杆，
十足用心。（吳哲芳／
提供）

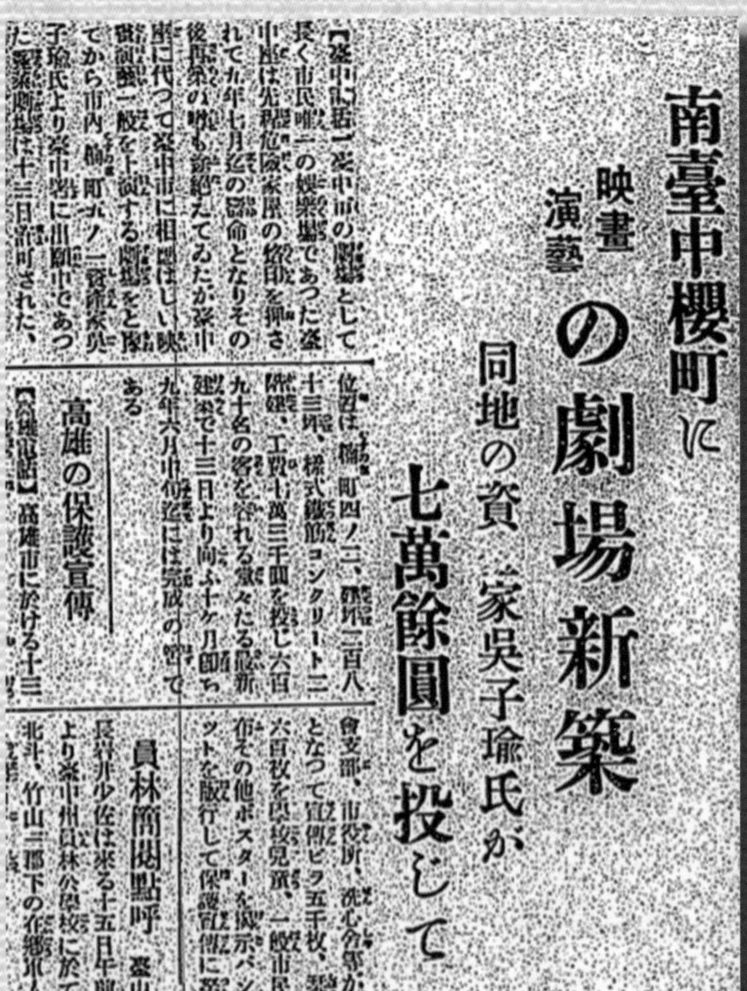

南臺中櫻町に映畫演藝の劇場新築

同地の資產家吳子瑜氏が七萬餘圓を投じて

【臺中電話】臺中市の劇場として長く市民唯一の娛樂場であつた臺中座は先程危險家屋の烙印を押されて九年七月迄の壽命となりその後原案の噂も途絶えてゐたが臺中座に代つて臺中市に相應はしい映畫演藝一般を上演する劇場をと豫てから市內櫻町六ノ二資產家吳子瑜氏より臺中州に出願中であつた新築劇場は十三日許可された、位置は櫻町四ノ二、敷地二百八十三坪、構造鐵筋コンクリート二階建、工費七萬三千圓を投じ六百九十名の客を容れる堂々たる最新建築で十三日より向ふ十ケ月即ち九年六月中旬迄には完成の筈である

高雄の保護宣傳

【高雄電話】高雄市における十三……會支部、市役所、洗心會等が中心となつて宣傳ビラ五千枚、繪三千六百枚を學校兒童、一般市民に配布その他ポスターを掲示パンフレットを頒行して保護宣傳に努めた

員林簡閱點呼

臺中大隊長谷井少佐は來る十五日午前八時より臺中州員林公學校に於て員林北斗、竹山三郡下の在鄉軍人に對……

昭和8年（1933年）9月14日《臺灣日日新報》第7版〈南臺中櫻町に映畫演藝の劇場新築　同地の資產家吳子瑜氏が七萬餘圓を投じて〉，報導吳子瑜申請興建蓬萊劇場獲得許可。（蘇全正／提供）

此外，昭和8年（1933年）9月15日的漢文《臺灣新民報》在第2版刊載〈臺中市吳子瑜氏　籌設近代式娛樂館　經費按七萬三千圓　以圖南臺中之繁榮〉，文中清楚說明新劇場為：

昭和9年（1934年）1月30日《臺灣日日新報》第7版〈臺中の蓬萊劇場吳氏の獨營に決定〉，披露吳子瑜決定在南臺中獨資興建「臺中蓬萊劇場」。（蘇全正／提供）

其設計乃出自元市技師齋藤辰次郎氏之手，取美國式劇場案為本，加諸適合東洋之施設，內容一切皆以現代式科學的設備。

劇場完成之後可作為演劇、影戲、跳舞、演講、音樂會場等場地之用，亦可成為裝飾大臺中市的景觀。吳子瑜還打算以劇場為中心，在周圍土地闢建84間房屋，向市內和各地商人

長官招殖產局長
協議米穀問題對策
昨朝於長官公室
其內容頗堪注目

松井軍司令官
視察高雄州日程
十五日到高　二十日返北

援軍陸續到閩
向共軍取包圍之勢
實為閩北最近之巨彩
損失約在七八百萬元

象棋名手
林奕仙氏到南
本日開始比賽

金密輪案
昨日又開公判
臺灣新民報社

本社記者新採用
試驗場所變更啓事

臺中市吳子瑜氏
籌設近代式娛樂館
經費接七萬二千圓

東港鬼熊就縛
切斷氣管自殺不遂
現不能言語治療中

八保圳水利組合
電請復活補助

臺南市東市場
將着手新建築

被命歸國
福州人

招商投資，並且計畫向民眾招募資金，每人 5 元即可入股，店鋪將採低利貸款方式招租，希望五年之內打造南臺中發展的大繁榮盛景。同時，此則報導也證實了天外天劇場就是由臺中市土木課技手齋藤辰次郎擔任設計的僅存作品，可謂彌足珍貴。

| 回臺投注開礦和投資拓殖事業 |

大正元年（1912 年），吳子瑜離臺前往民國共和政體肇建的中國，並在上海與北平一帶往來經商，又曾在石家莊開礦達十年之久，但最終仍以經營不善導致虧損收場。大正 11 年（1922 年）時，吳子瑜就因吳鸞旂過世回臺奔喪，並主持家務和接掌吳家產業。這段期間，吳子瑜曾於同年與基隆炭礦株式會社合作向臺灣總督府申請石炭（即煤礦）採掘的礦業許可。大正 12 年（1923 年），吳子瑜又單獨向臺灣總督府提出石炭採掘的礦業許可申請，也與吳茂松共同申請礦業權的讓渡許可。以上事例足以證明吳子瑜對於開採礦業的高度興趣，也印證其早年曾到中國河北投資開礦事業的事蹟。

回臺接掌吳家產業的吳子瑜，在大正 11 年（1922 年）與三弟吳東漢合資創立春英株式會社。會社位在臺中市花園町五ノ九，主要從事土地建物和介紹國內外有價證券的買賣，資本額為八千元，由吳子瑜擔任社長，取締役為林祖藩、吳東漢，監查役為賴崇棠、陳錫祺。

【左頁圖】昭和 8 年（1933 年）9 月 15 日《臺灣新民報》第 2 版，刊載吳子瑜籌設新劇場的相關資訊，以及企圖打造南臺中大繁榮盛景的雄心壯志。（引自國立臺灣文學館《臺灣新民報》檢索系統，搜尋日期：2017/7/10，蘇全正／提供）

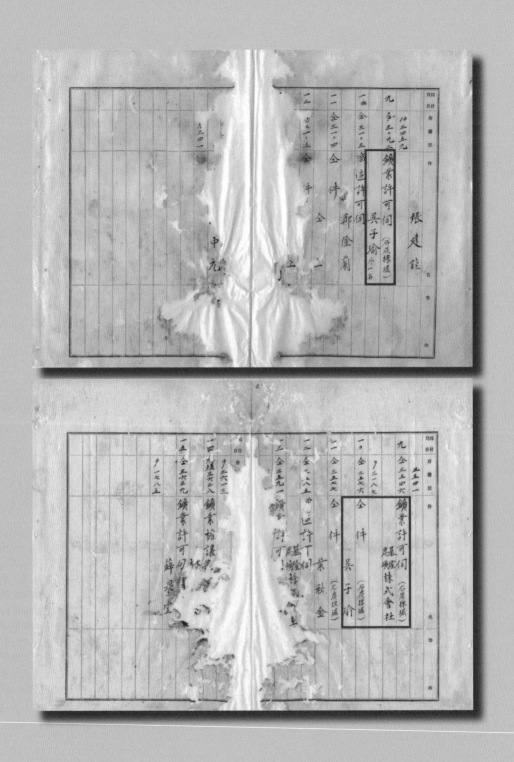

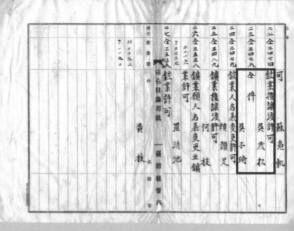

同年，吳子瑜又與吳東漢合資創辦吳鸞旂實業株式會社，資本額 100 萬元，後來更名為吳鸞旂拓殖株式會社，前文提到的吳維岳（號步初，南投人）就是在昭和 4 年（1929 年）任吳鸞旂拓殖株式會社書記。

至於吳子瑜之所以擔任大東信託株式會社副社長，是因為大正 15 年（1926 年）6 月 2 日大東信託株式會社選在吳家召開發起人會議，主持會議的人是林獻堂，會中決定資本額為 250 萬元，同年 12 月 30 日正式成立，並聘請陳炘為總經理，林獻堂為董事長。大東信託公司不僅是日治時期臺人最重要的民族資本，也是民族運動的主要經費來源。

投資巨額資金的吳子瑜成為大東信託株式會社的重要股東，但昭和 3 年（1928 年）5 月 8 日林獻堂妻楊水心女士到陳炘家拜訪時，陳炘自大東信託株式會社返回家中，提起吳子瑜

吳子瑜於大正 12 年（1923 年）再度向臺灣總督府申請石炭採掘的礦業許可，也與吳茂松共同申請礦業權讓渡許可。（引自國史館臺灣文獻館臺灣總督府公文類纂資料庫，蘇全正／翻攝）

【左頁圖】吳子瑜與基隆炭礦株式會社於大正 11 年（1922 年）合作，向臺灣總督府申請石炭採掘的礦業許可。（引自國史館臺灣文獻館臺灣總督府公文類纂資料庫，蘇全正／翻攝）

辭任大東信託株式會社副社長的種種情形，或許與志趣及經營理念的不同有關。

回臺之後，吳子瑜對開礦事業興趣不減，因曾與基隆顏家合作向臺灣總督府申請在基隆、瑞芳一帶開採煤炭，才有戰後吳子瑜後代將吳鸞旂公館的土地賣與基隆顏家的因緣。

不過1952年當臺中市長楊基先倡建孔廟時，基隆顏家的顏欽賢 (33)（1902年～1983年）便將公館土地以半買半送的方式讓渡給臺中市政府作為興建孔廟的用地。傳聞後來因該地的格局不適合蓋廟，再加上臺中市政府財政困難，土地便遭擱置。

後來吳鸞旂公館土地又因居民占用和違建等問題衍生訴訟糾紛，市政府賣地之後，就把孔廟改建在今北區雙十路原日治後期的臺中神社，戰後初期作為忠烈祠部分用地的現址。

| 高吟佳句見知心 |

吳子瑜與林子瑾是甥舅的表兄弟關係，這是因為吳鸞旂之妹吳杏元招婿林染春（前清秀才、中醫師）入贅，林子瑾從父姓，另外又過繼二伯父吳懋翼子吳子衡為嗣，而林子瑾的寓所瑾園與吳家怡園相距不遠，步行約五至八分鐘即可到達。

林子瑾（1878年～1956年），字少英，號大智，曾至中國福建省法政專科學校就讀，日本早稻田大學畢業。其經營過林春榮號，從事米穀買賣，在臺歷任臺灣商工銀行監查役、臺

灣製麻株式會社監查役、中央製糖株式會社相談役等，亦為臺灣文化協會的發起人之一。

大正 13 年（1924 年），臺灣總督府以臺灣議會期成同盟會違反《治安警察法》為由，大肆搜捕臺灣文化協會的重要幹部，造成清水蔡惠如、霧峰下厝林幼春等人被羈押三個月所謂的「治警事件」。當年 8 月林子瑾便前往北平逃避查緝風頭，因而定居北平。林子瑾原為櫟社成員，後來因為娶同姓女子引發輿論批評，又因滯留北平不歸，社員缺席次數超過社規，遂遭到除名退社處分。

在臺時期的林子瑾曾為蔡惠如（1881 年～ 1929 年）、林幼春（1880 年～ 1939 年）於大正 7 年（1918 年）發起創辦的臺灣第二個文社──臺灣文社（1918 年～ 1926 年）的 12 個發起人之一（林幼春、蔡惠如、陳滄玉、林獻堂、陳基六、傅錫祺、陳懷澄、鄭汝南、陳聯玉、莊伊若、林載釗、林子瑾），也曾捐資出版鄭汝南主編的《臺灣文藝叢誌》，大正 8 年（1919 年）1 月 1 日發行第一號的封面題字即由林子瑾（署名少英）題寫，就連臺灣文社登載的聯絡電話也是借用林子瑾的電話號碼，足見其對臺灣文社的支持和付出不遺餘力。

其中，林子瑾留存的詩文較可觀者如〈詠臺灣獨立軍旗〉：

一場春夢去無痕，畫虎人爭目笑存；

終是亞洲民主國，前賢成敗莫輕論。

又如〈趙飛燕〉：

兩臉夭桃色尚腓，已傳得罪出宮幃；
可憐漢殿稱恩幸，輸與盧家比翼飛。

回臺之後的吳子瑜則與霧峰林獻堂的往來互動更趨頻繁緊密。當時霧峰林家頂厝的五位堂兄弟，除林紀堂與林澄堂早逝外，林獻堂、林烈堂、林階堂與吳子瑜都有往來，兩家族的女眷彼此之間也有互動。例如昭和 5 年（1930 年）9 月 27 日，林獻堂三子林雲龍結婚，楊水心在日記中便提到當天賓客有：

新庄伯婆、二嫂、月霞、碧霞、阿金樣、鶯旂嬸三位來，吳子瑜之妻阿萍（按：蔡綠蘋）及女（按：吳燕生）。

昭和 7 年（1932 年）10 月 19 日，林獻堂親弟林階堂（1884 年～ 1954 年）生日，吳子瑜、吳寶、吳三天、林猶龍、林瑞騰、林資彬等 23 人也共飲壽酒祝賀，賓主盡歡。

昭和 9 年（1934 年）3 月 27 日，林澄堂妻吳映雪（吳子瑜之姊）51 歲生日，舉行家族內部的祝壽，林獻堂的太太楊水

心與長子林攀龍、次子猶龍、日籍媳婦愛子、施金紗、陳榕紉、烈堂長子林垂拱、青桐林彰化奶許悅（按：德真法師）、林瑞騰、林双吉、吳子瑜之女吳燕生皆前來祝壽。

林獻堂本人與吳子瑜之間既有表兄弟關係，又同為櫟社社友，且年紀相當，所以經常應邀和互訪彼此的園邸作客及隨韻賦詩，例如昭和5年（1930年）2月，庚午上巳日櫟社第四回壽椿會在霧峰召開，當時計有吳子瑜、傅錫祺、林獻堂、張玉書、張升三、呂蘊白、陳懷庭、林幼春、王了庵、莊太岳、陳聯玉、蔡子昭、吳步初、鄭汝南、吳筱西與會。

昭和9年（1934年）3月20日，寓居臺中市的王了庵告知林獻堂有關吳子瑜今年51歲卻不敢接受櫟社社友的壽椿祝賀一事，理由正是吳子瑜自前年以來和他四弟、姪女為了財產及公租而興起訴訟，自知聲名敗壞。翌年12月3日，櫟社社友為了慶祝吳子瑜51歲生日，豐原張麗俊與潭子傅錫祺、張棟梁、張玉書、蔡子昭等詩友於下午兩點搭乘汽車前往太平東山，而林獻堂、林幼春、鹿港莊伊若、王篆盤（了庵）等也隨後到來，總共10人專程赴宴，在東山別墅樓前攝影後，展開壽椿晚宴。

壽宴由傅錫祺代表讀祝吳子瑜51壽文。宴罷，出「東山夜集」七絕，又出「梅花並壽」字渾咏詩唱，酬達應對，由此可看出林獻堂等詩友藉由祝壽為其緩解家務事糾葛的鬱悶心

昭和 5 年（1930 年）2
月，櫟社第四回壽椿會
在霧峰召開，吳子瑜（左
一）出席參加。（郭双
富／提供）

情。

另外，林獻堂於昭和 14 年（1939 年）旅居東京時，因不慎跌倒傷足，滯日養病一年，在結集朋友寄詩慰問的《海上唱和集》中，即有昭和 15 年（1940 年）3 月 10 日〈步小魯表弟寄懷原韻〉：

寒灯孤館夜沉沉，忽接飛鴻惠好音；

遙憶屠龗難獨步，高吟佳句見知心。

東山梅笑巡籌索，江戶春歸踏雪尋；

遠隔煙波萬餘里，何時綠螘喜同斟。

淀橋風月尚清新，暫作桃源避世人；

老至始悲疏學業，道衰何處覓儒巾。

怡園柳葉初舒綠，上野櫻花欲趁春；

兩地唱酬何日會，醉吟聯坐草如茵。

前段書寫對於吳子瑜來詩的雀躍及知心，使其深切懷念吳子瑜東山別墅梅花綻放的園景，無奈只能在日本江戶的春天來臨時踏雪尋梅，聊以慰藉和沖淡思愁；後段則感嘆世道衰微，且老大傷悲，只好暫時避居海外，當東京上野的春櫻盛開時，不禁憶起吳子瑜怡園庭中春柳新芽初綠的清新景象，期盼能早日再度把酒聯吟。

因此吳子瑜覆詩招飲，林獻堂則覆以〈次小魯表弟招飲原韻〉：

每因時事徒嗟嘆，老去方知處世難；
海外重逢欣話舊，樽前一笑百憂寬。

詩中表達希望能相逢於海外，把酒話舊憶當年，一解心中的惆悵與憂悶。

所以昭和16年（1941年）4月18日當吳子瑜自日本東京返臺後，便立即趕赴霧峰拜訪林獻堂，雜談片刻後才搭夜班車返回臺中，懇切之情展現無遺。

昭和18年（1943年）太平洋戰爭時期，日軍在戰場上漸趨劣勢，而盟軍飛機開始不定時轟炸臺灣本島，隨著空襲次數的頻繁和災情傷亡的擴大，城市的居民必須「疏開」（即疏散）到鄉下或山區民居避難，也時有發布警報躲避空襲的情形。

昭和20年（1945年）6月20日，林獻堂一早從霧峰前往太平冬瓜山東山別墅時，描述道：「途中忽聞敵機之聲，遂急行……」等八點多抵達東山別墅時，吳子瑜出來迎接，同享園中荔枝，其姊吳映雪（頂厝林澄堂妻，林獻堂的堂弟媳。由於林澄堂早逝，吳映雪便自霧峰疏開來此投靠吳子瑜避居）、其女吳燕生及其三姨太都出來相見，期間躲避空襲警報四次。

戰後林獻堂先後出任臺灣省政府委員、臺灣省通志館館長、彰化銀行董事長等職，儘管南北奔波忙於公務，與吳家仍持續往來及互動。例如 1947 年 1 月 9 日吳子瑜庶母董氏金書 71 歲生日時，早上七點多林獻堂就前往祝賀，並與吳子瑜等人會面，可見林獻堂離臺赴日前兩家族的往來仍十分密切。

　　又如 1949 年 8 月 3 日，林獻堂即使在面臨諸多紛雜傳言困擾之際，還專程撥空探視吳子瑜因經營臺北市「新生活賓館」過勞病倒後的病情，當時吳子瑜也因兩足麻木，不能起床而有所掛念。同年 9 月 23 日，林獻堂以視察日本的經濟與對日貿易，以及欲醫治頭眩宿疾為由，獲准由臺北市松山機場搭機赴日養病。在避居日本東京養痾之際，仍與吳子瑜有詩詞應對抒懷，如〈次小魯表弟見贈原韻〉：

　　　病榻新詩贈遠行，蓬萊三島御風征；
　　　良方有效神應爽，大海無塵氣自清。
　　　國破河山依舊在，人窮衣食莫能名；
　　　高樓大廈多焚毀，不似當年舊帝京。

　　詩中除了表達慰問吳子瑜因足疾不能起床仍賦詩見贈的情誼外，尤其是面對戰後臺灣受國共內戰波及，局勢動盪不安，民生愈趨艱困的憂心。其後還有一首〈寄懷小魯表弟〉：

秋別經年夏又半，雲間久不通華翰；

倚杖能行想可期，寬心療養無悲嘆。

此間梅雨日淋漓，悶人天氣懶吟詩；

鯤島近傳將變革，聊將此信慰君思。

詩中除了就吳子瑜的足疾治療再三鼓勵和關懷外，也高度關注臺灣島內的情勢發展，更由此凸顯出吳子瑜與林獻堂之間的表兄弟情誼彌足珍貴。

作為霧峰林家的大家長和對外的代表人，林獻堂晚年對於佛學的涉獵迭有心得，滯日期間遭逢其弟階堂病逝及次子猶龍驟逝的打擊，使他對佛法有更深刻的體悟，只是我們無從得知林獻堂在佛教的認知是否也對吳子瑜有所影響。

1951 年吳子瑜過世，其任俠浪漫的一生終與家人同葬於吳家墓園內，其右為父親吳鸞旂與祖父吳景春的合立墓碑，左有嫡配蔡綠蘋（1885 年～ 1936 年）昭和 11 年（1936 年）立墓碑、二弟吳東珠墓碑、簉室張蘭英昭和 7 年（1932 年）立碑、女吳燕生墓碑。至今吳家墓園仍供人憑弔一代家族的幾許滄桑變化，幽幽訴說著臺中市歷史發展的起伏轉折。

第五章

明珠灼灼

吳燕生的詩誼與巾幗豪氣

身為吳子瑜的獨生女，吳燕生自幼備受櫟社詩人的文采薰陶，因而成為日治時期
參與霧峰林家櫟社的著名女詩人。古詩造詣獨冠全臺的吳燕生，屢次在詩作大會
獲得左元榮耀，吳家怡園和東山別墅都有吳燕生賦詩的身影。承襲吳子瑜的俠義
精神，吳燕生亦有女中豪傑的壯志與襟懷，一生致力提倡臺中地區的古典詩學。

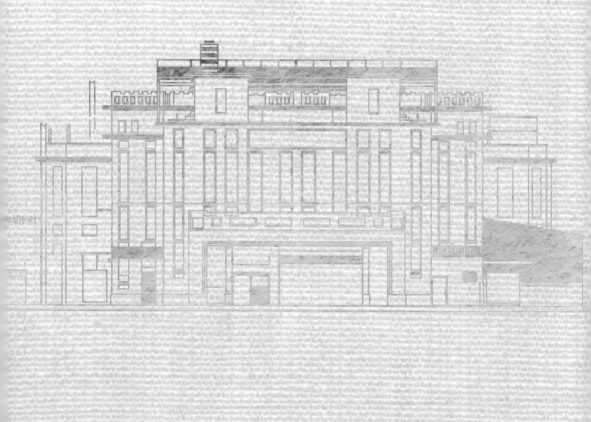

嶌詩人大會開嘉義於開紀念撮影

吳燕生參加全島詩人大會，與眾詩
人於嘉義合影。第一排右起第 11 位
為吳子瑜，第二排右起第 11 位為吳
燕生。（郭双富／提供）

吳燕生

吳子瑜

甲戌仲春臺南州下主催

古詩造詣冠全臺的女詩人

　　吳燕生（1915 年～ 1976 年），自署薔薇室女，吳子瑜
的獨生女，因吳子瑜寓居北平時期出生，故名燕生。據傳吳
燕生出生時吳子瑜正在宴客，當僕人告知夫人分娩喜訊時，
吳子瑜醉酒之際尚未弄清生男或生女即取名阿狗（九），因
此也流傳有吳燕生又名阿狗（九）舍的趣聞。又據說吳子瑜
旅居北平期間，時常向吳鸞旂索款花用，於是吳鸞旂就說，
若吳子瑜喜獲麟兒便會多加匯款，所以吳燕生出生後被著男
裝，名曰「九舍」，藉以矇騙吳鸞旂而獲取鉅款，直到大正
10 年（1921 年）吳燕生隨父返臺時仍女扮男裝以瞞祖父吳鸞
旂。自幼聰穎的吳燕生，寓平期間受吳子瑜禮聘名師啟蒙教
導，奠定紮實的國學基礎，肄業於北平中國大學，並獲北洋
政府執政吳佩孚收為義女。

　　因自幼課讀詩書奠定良好的漢學根柢，吳燕生回臺後師事
寓居臺中的新竹了庵王石鵬（王了庵，字箴盤，原名石鵬，新
竹人。曾任《臺灣新聞報》記者，臺中東墩吟社顧問。嘗遊歷
日本及中國諸名勝，善篆刻攻隸書，著有《臺灣地理三字經》、
《釋迦佛歌》，晚年篤信佛教）學習詩詞、書法及篆刻，尤其
鑽研齊白石金石譜，故工金石之作。由於父親吳子瑜提倡漢詩，
每年都在臺中怡園或太平的東山別墅召開全島聯吟大會或各地
詩社聯吟活動，吳燕生因經常隨父親出席櫟社詩友的聚會，備

受薰陶，耳濡目染之下，古詩造詣頗見功力。

大正 14 年（1925 年）吳子瑜創辦怡社，每逢春秋佳日皆邀請中部文人雅士在東山別墅煮酒敲詩，與會者有林資修、林獻堂、林仲衡、傅錫祺、王竹修、吳燕生等人，吳燕生也因此成為怡社的重要成員。

昭和 7 年（1932 年）3 月 20 日，全島聯吟大會於臺北市大龍峒孔子廟召開，櫟社有吳子瑜、王石鵬、蔡子昭、林仲衡、張玉書五人，怡社有吳燕生、陳泰山、盧氏夢蘇三人，東墩吟社有王竹修、林建寅、蔡梓舟、黃登高四人參加。東墩吟社昭和 4 年（1929 年）創立於臺中市，社員有王竹修、張玉書、林仲衡、王了庵、蔡子昭、傅錫祺，社員多人與吳家熟識，所以東墩吟社也時常雅集於臺中天外天劇場。

昭和 9 年（1934 年）3 月，臺南州主辦的全島詩人大會於嘉義公園召開，吳子瑜、吳燕生父女聯袂與會，添為詩壇佳話。同年 6 月 16 日（農曆 5 月 5 日端午節），櫟社甲戌春會於霧峰林家舉行，參加者有吳子瑜、吳燕生、傅錫祺、林獻堂、張玉書、張子材、張升三、林仲衡、陳懷庭、林幼春、王了庵、莊太岳、陳聯玉、蔡子昭等人，吳燕生也是櫟社社友聚會時唯一的女性詩人，頗有萬綠叢中一點紅的獨特性，也是同時代中少數能在傳統以男性菁英為主的交誼場合中占有一席之地的女性，頗有巾幗不讓鬚眉的豪氣。

吳燕生

吳子瑜

劇場演義 │ 演藝娛樂現代化的天外天劇場

昭和 7 年（1932 年）3 月
20 日，「全島聯吟大會
於臺北市大龍峒孔子廟」
老照片，眾星雲集。前排
左數第六位，戴黑呢帽、
著黑色長袍馬褂、手持杖
者即吳子瑜，其身後為吳
燕生。（郭双富／提供）

吳燕生的詩誼與巾幗豪氣｜**明珠灼灼**

吳子瑜（後右三）、吳燕生（後右二）父女參加櫟社甲戌春會的合影。吳燕生是聚會時唯一的女性詩人，足見其在傳統以男性菁英為主的交誼場合中占有一席之地。（郭双富／提供）

昭和 10 年（1935 年）吳子瑜舉家遷往中國，待至昭和 12 年（1937 年）7 月 7 日中日戰爭爆發，因局勢丕變加上在北平的生意不順遂與生病等因素，便再度遷回臺灣。此後吳子瑜、吳燕生父女一起參加詩會的機會大減，尤其昭和 14 年（1939 年）吳燕生嫁與梧棲蔡伯毅子蔡漢威後，參加詩會活動的音訊更形渺茫，雖然後來兩人離婚，但吳燕生回到東山別墅後，也極少參與吳子瑜在怡園或東山別墅舉行的相關詩會，僅在家族或親戚往來中偶爾看見她的身影，頗有消沉之勢。

以下選錄吳燕生詩作數首：

重陽後東山雅集
黃花雖過景猶豐，擊缽依然逸興同；
三徑陶蘇無俗客，一堂稽阮盡詩翁。
秋深仍寫題糕白，節後漫防落帽風；
叢桂重吟懷古意，鐘聲幾響起雙楓。

詩中描寫重陽節後在吳家太平冬瓜山東山別墅邀集櫟社詩友舉行擊缽吟，雖屆深秋風寒霜白之際，但嘉賓皆是詩壇碩彥，吟詠之間古意趣然，扣鐘佳作宛如雙楓兀立般令人激賞。

諸羅春色

郎吟不負錦囊攜，挈榼重遊夕照低；

山列諸峰作屏嶂，溪流八掌醮玻璃。

邀來鷗鷺吟槃敦，寫入鶯花待品題；

今日吳公祠畔過，鵑聲似為義民啼。

　　嘉義古稱諸羅山，詩中提點出嘉義倚列玉山和阿里山脈諸峰，八掌溪流貫其間，途過溪畔吳公祠，鵑鳥啼聲宛若過往歷史事件中義民英魂的吶喊，令人憑弔懷思。

　　行腳僧

衲衣雲笠去悠悠，世界三千眼底收；

道舄欲窮凡海劫，慈航任放逆潮流。

曾憑錫杖飛三峽，幾度芒鞋過九州；

玉版初生鄉味好，故山又是一番秋。

　　吳燕生的詩詞之作有幾分脫俗，豪邁不拘氣蘊，既有禪僧遊方的灑脫自在，又有炎燃窮劫濟世的當仁不讓之心志，頗似其個性的寫照。

　　南岡秋色

霜落山城草木知，風光蕭瑟照吟卮，

且邀白社銷魂客，來詠南陔賞菊詩。

楓葉荻花添碧岫，稻雲蕉圃接黃陂，

登臨節近題糕日，西望中原觸遠思。

此詩是吳燕生參加南投的南陔詩社賞菊會之作，詩中流露山城遠眺海嶼西岸，猶有寄寓北平歲月的懷思之情。

┃ 東山別墅歲暮渡晚的餘生 ┃

戰後吳燕生寓居臺中市太平區冬瓜山的吳家別墅，曾參加1951 年全國詩人大會，由考試院代理院長賈景德擔任詞宗，吳燕生的詩被評選為左元。翌年吳燕生參加在臺北市舉行的壬辰全國詩人大會，左詞宗為賈景德，吳燕生的〈弔屈靈均〉：「美人蘭芷託吟身，耿耿孤忠泣鬼神，千載知音惟賈誼，招魂淚灑汨羅濱。」又獲左詞宗選為首名。1953 年，吳燕生在全國詩人大會中，詩作再度由詞宗張昭芹選為左元榮譽，足見其詩境造詣深受肯定。再如 1955 年，吳燕生參加臺南市詩人節大會所誌之詩又得左元，當時的左詞宗為張昭芹，其詩作如下：

乙未詩人節臺南大會

歲歲詩盟孰肯忘，騷壇孤島建南方，

大成殿外飄吟幟，赤崁樓邊鬪綺章。

長願斯文隨五綵，遙懸角黍弔三湘，

延平祠畔逢佳節，更上孤忠一瓣香。

吳燕生復出詩壇後亦時常於東山別墅定期舉辦詩會，倡導漢學詩文聯吟，其有詩〈春日遊東山〉：

十年守拙隱林泉，倒屐今朝迓眾仙，

且喜推敲多舊雨，何妨觴詠繼前賢。

東墩吟幟揚叢桂，櫟社詩鐘響翠巔，

秋日登高春祓禊，相期不歇火薪傳。

此詩顯示吳燕生經歷戰前離婚和父喪後，雖隱居太平東山別墅沉潛十年，但仍奮力聯絡昔日詩友齊聚東山效法前賢，致力倡導臺中地區的古典詩學，讓櫟社的創社精神迴盪在青山翠嶺之間，待日後登高攬勝回顧，相互勉勵並維繫薪火相傳於不墜，頗有女中豪傑的壯志與襟懷。因此 1973 年臺中縣全縣詩人聯吟大會就選在臺中縣太平鄉吳家花園舉行，與會者百餘人，可謂盛況空前，而吳燕生在詩壇的聲望亦見日隆。

可惜日後臺灣文壇受白話文學及新詩創作的現代文學風氣影響，加上詩友陸續凋零，後繼乏人，古典詩文學的環境已然沒落，而吳家東山別墅的詩文聯吟活動也在吳燕生過世後成為

絕響。

1976 年 6 月，吳燕生膺選為美國馬里蘭州舉行的第 3 屆世界詩人大會的中華民國出席代表之一，此次代表團成員共有 36 人。第 3 屆臺灣代表團獲大會頒贈 16 項特別獎，吳燕生與新竹女詩人陳秀喜就是獲獎的兩位女性。不料，吳燕生回臺時竟因心臟病突發而逝世，結束傳奇的一生。

戰後吳燕生招贅張姓人士，育有一男二女，擇葬在吳鸞旂墓園中。吳家花園後來出售給建商改建為今日的東方大鎮社區住宅，僅存的吳家墓園則在 1992 年被指定為第三級古蹟，其後又歷經九二一大地震的蹂躪震損，所幸經搶救修復後恢復舊觀，現為臺中直轄市市定古蹟。

吳燕生過世後，也與祖輩一起合葬在吳鸞旂墓園中。
（朱書漢／攝）

結 語

一場文化資產價值的反思

如斯樓起，天外天劇場應時勢而生，有如日中天的輝煌歲月、文人筆墨寫就記錄的回憶點滴；如斯樓塌，天外天劇場受時代考驗，幾經輾轉波折，易主後漸離藝文娛樂的行列。在舊的保留與新的展望之間，向來不是一個簡單的課題，無論最終是否盡如人意，在遼遠九重世界外也已逍遙。

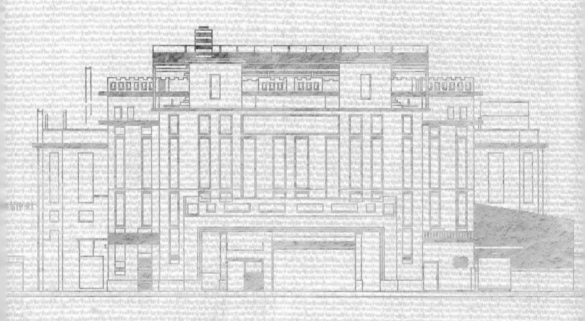

脫胎於中部首富吳鸞旂家族的私人戲院，獨資經營的天外天劇場可說開啟了時代的先鋒，其歐式富麗豪華的建築風格在當時各家戲院中獨領風騷。這座盛極一時的混合型時尚劇場，曾是文人雅士生活中的趣味回憶，然而不敵嚴峻時代考驗的天外天劇場，與許多老建物一樣，面臨去留的抉擇。

　　2014 年開始，拆除天外天劇場的消息逐漸流傳開來，引發了近年關心臺中市舊城區保存的文化界人士與地方文史團體或個人的高度關注。為搶救這座具歷史性的建物 (34)，文史團體發起保留臺中天外天劇場的連署活動，企圖透過結合眾力的行動向公部門、業主、媒體等呼籲和尋求保存的可能性。

　　其後，臺中市政府將市長信箱的輿情反映交辦給相關單位研議處理，2014 年 7 月 8 日臺中市政府「古蹟歷史建築聚落及文化景觀審議委員會」（以下簡稱臺中市文資審議委員會）審議，決議先列「暫定古蹟」，六個月內完成審議程序。2014 年 9 月 5 日，文史團體再度提報天外天劇場，然而 2015 年 2 月 5 日的臺中市文資審議委員會審議決議不予指定或登錄；同年 11 月，文史團體再次提送臺中市文資審議委員會審議，但由於文史團體並未提出新事證，因此仍維持前次審議決議。

　　2015 年 12 月，臺中市文化資產處委託學者與民間團隊完成《天外天劇場建築物測繪及簡易歷史調查》計畫，作為基礎資料及現況的記錄。到了 2016 年 3 月 14 日，文史團體重新提出新事證，以「城中

城的時代座標──天外天劇場九大見證」：臺中百年城市興衰見證；
臺灣省城百年變遷見證；見證臺灣清代到日本時代大家族的姻親與政
商關係；臺中日本時代最後成立的戲院，也是最後僅存的一座戲院；
全臺規模最大最華麗的民營歐式戲院；臺灣最早建立企業識別的劇院；
臺灣總督府技師齋藤辰次郎僅存作品；對日反抗行動──臺灣人認同
的漂流軌跡；亞細亞孤兒──臺灣民族意識的時代縮影為訴求，再度
提報文化資產。隨後，臺中市政府依規定受理，成立專案小組討論所
提新事證資料是否符合，並再度成立天外天劇場暫定古蹟處理小組，
一切依循法定程序辦理。

　　2017 年 5 月 18 日，公共電視以〈未取得文資身分　臺中天外天
劇場恐將拆〉報導：「臺中天外天劇場，曾是日治時期臺灣最豪華戲
院之一，在臺中城市發展史上有一定歷史意義，不過 2014 年開始三
次進入文資審議，但都無法取得文資身分，民間的文資信託募資也沒
有成功，地主最快這個月底就會收到准拆通知，天外天劇場恐怕面臨
拆除命運。」再次呼籲國人重視臺中市天外天劇場的保存問題，以及
文化資產保存信託的推動在現階段有其困難。報導最後也提到臺中市
政府文化局將與文史團體、地主再行協調，共同找出最佳的方式，讓
天外天劇場的歷史記憶得以留存。

　　2017 年 5 月 26 日，臺中市舊城復興協會提出天外天劇場新事證，
並請臺中市政府依《文化資產保存法》第 20 條第 2 款規定，以遇有緊
急情況逕列暫定古蹟，防止所有權人將之拆除。該協會所提的新事證乃

是委託結構專家至現場履勘，發現天外天劇場的結構用料與日治時期官方建築的用料和工法接近，耗資甚鉅，非一般民間所能負擔，意義重大。因此，文化部文化資產局函請臺中市政府文化局協調所有權人先行同意暫時不拆建物，而由公部門委託進行天外天劇場相關背景資料的完整調查研究計畫，並透過計畫進行「天外天劇場」文化資產價值評估與保存方式的可行性和適法性，以尋求解決爭議的最大公約數。

事實上，在天外天劇場的文化資產價值認定過程中，文史團體與公部門無不盡心盡力處理。儘管面對私有財產的文化資產保存爭議，民間文史團體基於對鄉土的熱愛所付出的努力和用心不容置疑，然而在致力文化資產保存的過程中，不論是文史團體、所有權人和業主，以及公部門之間，始終存在著去留拉鋸、溝通協調與紛雜意見，因此如何面對這塊土地的歷史和記憶，價值判斷並不一定會是最終的取捨模式，但「如理思惟下的抉擇和承擔的決心」定然是關鍵所在。

屬於文化資產保存大纛下的地方文史團體，長期以來為文化保護、追索歷史付出熱誠與努力，而負責協調折衝和承受各方壓力、法令規章限制的公部門，以及維繫私有財產權益的所有權人，都努力地在扮演自己的角色，不論天外天劇場最後的結果如何，這場文化資產價值的討論與爭議，終將在歷史中留下深刻的反思。

天外天劇場的結局是否能令各界滿意，天外天劇場是否能如其名，將這些塵世紛擾拋諸九天雲霄外的異想世界？謹以書寫記錄下它的輝煌與故事，讓我們一同回首期待天光。

天外天劇場的未來之路始終尋求著解決紛爭的最大公約數，天外天劇場是否能如其名，將這些塵世紛擾拋諸九天雲霄外的異想世界？是許多人關注的課題。（朱書漢／攝）

一場文化資產價值的反思 | **結語**

附　錄

吳鸞旂家族與天外天劇場大事紀

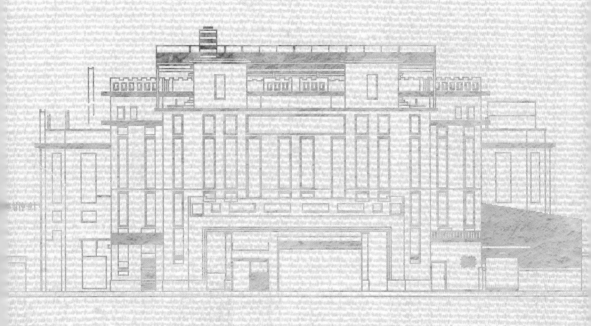

年號	日期	大事紀
永曆 16 年 （1662 年）		吳郡山家族第一代吳錫泰自福建省漳州府龍溪縣廿九都蔡坵社跟隨鄭成功部隊渡臺，卜居於臺南赤崁街（清代竹仔街）。
雍正年間 （1723年〜1735年）		在臺第三代吳文海於雍正年間入墾彰化平原。
乾隆 17 年 （1752 年）		吳文海之弟太學生吳文清，入墾今彰化縣永靖鄉、埔心鄉一帶 158 甲土地，與兄分別建立吳郡林館與吳郡山館的租館收租。
乾隆 40 年 （1775 年）		吳文清向開墾臺中的六館業戶之一秦廷鑑買下原屬巴宰族阿里史社的租業，正式入墾臺中盆地，土地分布在今臺中市北屯區二分埔、東勢一帶。
咸豐年間 （1851年〜1861年）		吳鸞旂之父吳景春遷居臺中東勢庄，娶妻霧峰林家林甲寅之女林純仁，成為霧峰林家下厝林文察麾下的十八大老之一。
同治元年 （1862 年）		吳鸞旂出生，為吳郡山家族第八代。
同治 3 年 （1864 年）		吳鸞旂之父吳景春隨林文察出征，病死於平定漳州匪亂中，吳鸞旂成為「業戶吳樂園」管理人。

光緒 2 年 （1876 年）		刑部侍郎袁保恆奏議請設臺灣巡撫，成為臺灣建省的具體建議之始。
光緒 7 年 （1881 年）		福建巡撫岑毓英駐臺加強臺灣防務時，以中路防衛不足為由計畫增設一城加以控制，派遣臺灣道劉璈勘察彰化縣附近，最終擇定以橋孜圖（今臺中市南區下橋子頭）作為省會預定地。
光緒 9 年 （1883 年）	3 月	吳鸞旂中式府城儒學生員第一名。
光緒 10 年 （1884 年）	4 月	吳鸞旂院試考選一等。
光緒 11 年 （1885 年）	9 月	慈禧太后詔改福建巡撫為臺灣巡撫，首任巡撫為劉銘傳。
		吳子瑜出生，字少侯，號小魯，又號東碧，為吳鸞旂長子，櫟社會員，民間俗稱東碧舍。
光緒 12 年 （1886 年）	7 月	吳鸞旂報捐直隸賑饑案米糧，獲直隸總督李鴻章奏請以內閣中書赴京選用，於 10 月獲恩准。
光緒 13 年 （1887 年）	1 月	吳鸞旂協助清賦總局在中部彰化縣進行清賦。
		首任臺灣巡撫劉銘傳履新。臺灣省下設臺北、臺灣、臺南三府。

光緒 14 年 （1888 年）	3 月 3 日	臺灣與福建省正式分治。劉銘傳親自勘察下橋仔頭，確認「大墩地方，襟山帶海，控制南北，實天造省會之基」，而上呈給清廷的奏摺中也提到「該處地勢平衍，氣局開展，襟山帶海，控制全臺，實堪建立省城」。
	10 月	吳鸞旂跟隨林朝棟平定因清賦不公引發的彰化施九緞事件，並以軍功獲得刑部主事歸部補用頭銜，加賞戴花翎。
光緒 15 年 （1889 年）		吳鸞旂成為府城儒學例貢生。
	8 月	劉銘傳命臺灣縣知縣黃承乙負責省城工事監造、中路統領林朝棟率棟字軍參與築城工事，並委任殷商吳鸞旂為董工總理，積極營建省城。
		吳鸞旂在新庄仔庄營建吳家公館。
光緒 16 年 （1890 年）	2 月	清賦完成，劉銘傳會同閩浙總督保奏，吳鸞旂為直隸州知州記名試用並加府銜。
光緒 17 年 （1891 年）	4 月	劉銘傳離職內渡，由布政使邵友濂接任巡撫。
光緒 18 年 （1892 年）		邵友濂奏請清廷同意，以橋仔頭「地近內山，不通水道」、「瘴癘甚重，仕宦商賈，託足為難」、「文報常阻，轉運尤艱」為由，將省會移至臺北城，臺中省城工事遂停頓。

光緒 19 年 （1893 年）		吳鸞旂自福建攜回荔枝品種「福州一品紅」於臺中栽種。
日治初期 （1895 年）		吳鸞旂已擁有土地 800 甲，折合時價為 48 萬元。
		吳鸞旂任招安委員。
明治 28 年 （1895 年）	2 月 1 日	吳鸞旂與其妹吳杏元為避土匪掠奪，投靠林獻堂之父林文欽避居，迨至明治 30 年（1897年）始歸臺中。
	10 月至明治 32 年 （1899 年）1 月	吳鸞旂無償提供公館 11 間房舍作為臺中憲兵隊第 2 區本部的駐所。
明治 30 年 （1897 年）	4 月	吳鸞旂獲臺灣總督府頒授紳章，敘勳六等。
明治 31 年 （1898 年）		吳鸞旂出任臺中縣參事。
明治 34 年 （1901 年）	1 月	吳鸞旂與神岡社口大夫第林振芳共同擔任臺中辦務署新築委員長兼監督，捐助鉅額寄附金贊助。
		吳鸞旂陞任為臺中廳參事。
明治 35 年 （1902 年）		吳德功和吳鸞旂、周連山、楊吉臣等人請旌表貞烈節婦，〈貞烈婦林楊氏傳〉由吳鸞旂負責訪錄。

明治 35 年 （1902 年）		吳鸞旂之母林純仁在吳景春死後為其守節，吳德功將其節操事蹟呈報朝廷旌表，獲准建坊入祠。吳鸞旂率先捐款獻地倡建節孝祠，並與吳德功至豐原、神岡、大雅一帶募捐。
明治 36 年 （1903 年）		吳鸞旂與林朝棟三子林季商（祖密）、清水蔡蓮舫、鹿港施範其、苗栗仕紳劉鴻光等與日人安土直次郎等合資兩萬元在大墩街上創立中部臺灣日報社，由安土直次郎任社長，吳鸞旂為報社取締役（董事）。
明治 37 年 （1904 年）		吳鸞旂等人向臺灣總督府提出「出願官有原野豫約賣渡」的申請。
明治 38 年 （1905 年）		吳鸞旂投資由彰化吳汝祥發起中部大租戶以大租權補償債券當資金，集資 22 萬元成立的株式會社彰化銀行。
明治 39 年 （1906 年）	7 月	吳鸞旂出資加入南投竹山林月汀主導的布嶼拓殖公司，資本金總額為 152,000 元，分作 1,520 股，每股金 100 元為定，吳鸞旂認股 270 股。
		臺灣總督府為籌措經費以求寬裕財源，成立彩票局發行彩票。全臺共指定 25 個大盤經銷商，吳鸞旂與日人小鹽元太郎是臺中廳的指定經銷商之一。

明治 41 年 （1908 年）		吳子瑜赴廈門。
	8 月 16 日	豐原謝道隆向吳鸞旂出借大蓄音具（即留聲機）在公開場合播放。
明治 42 年 （1909 年）	5 月	報載吳鸞旂與林烈堂、清水蔡蓮舫欲合作於臺中設立製糖株式會社。後由林烈堂擔任臺中製糖株式會社社長。
明治 44 年 （1911 年）	4 月 3 日	吳鸞旂於公館設宴招待梁啟超和其隨行的湯覺頓、女兒梁令嫻，張麗俊等文友一同作陪，席間梁啟超演說一番，將近晚上十點才散席。
	6 月 15 日	《漢文臺灣日日新報》報導吳鸞旂抗稅遲繳被當道差押其財產。
		吳鸞旂、林獻堂、陳質芬等當選為株式會社彰化銀行監察人。
		吳鸞旂與清水蔡蓮舫集資向臺灣總督府申請成立臺中銀行，因故被駁回而中止。
明治 45 年 （1912 年）	4 月 2 日	吳鸞旂與林子瑾、林汝言發起遷建臺中城隍廟的計畫獲得總督府核准，同年 4 月 29 日正式著手移建，工程費約 12,000 元。
大正元年 （1912 年）		吳子瑜與林子瑾赴中國發展，在上海與北平一帶經商，又在石家莊投資開礦。

大正 3 年 （1914 年）		吳鸞旂與林獻堂、林烈堂、辜顯榮、林熊徵、蔡蓮舫等人同為臺中中學校（今臺中一中）創校委員之一。
大正 4 年 （1915 年）		吳燕生在北平出生，自署薔薇室女，為吳子瑜獨生女。
		張麗俊日記記載：「同往李君處赴詩會，此會醵金拾餘圓，實一年之勝會也。擬『中秋賞月』之題，互相構思至六時半，二詞宗駕臨，余得四首，外或三或二或一，抄呈受評，余中兩首為右右元，左眼左花。子瑜君亦呈與二詞宗一絕。至就席　左詞宗和子瑜兩絕。筵後左詞宗出題『登科』，記至十時共得五首，皆不甚美，余中一元一花。在庭因子瑜又來，一同談詩文事，至將十二時散。」
大正 5 年 （1916 年）	5 月 31 日	張麗俊日記記載：「何正元、吳元內弟來言，世垣肯入贅於臺中吳鸞旂之侄孫女為夫否？因女之父吳薪傳前年死亡，只生此女，年登十八歲，並無親兒，又螟一男於今六歲，田租千餘石俱係女之業主名，故欲選東床甚殷也。」

大正 5 年 （1916 年）		吳鸞旂財產時約有 90 萬円，僅次於鹿港辜顯榮。
		吳鸞旂與王成仁、林瑞騰、林文華等八人向臺灣總督府申請民間土地開發的「豫約開墾地成功賣渡願許可」。
大正 7 年 （1918 年）	1 月	吳鸞旂與林烈堂發起臺中所有曾紳章授與者的祝賀會。
大正 8 年 （1919 年）		吳鸞旂在家中庭園興建私人戲院，供家人及親友休閒娛樂之用。
		吳鸞旂擔任《臺灣文藝叢誌》評選詩文的評議員。
大正 10 年 （1921 年）		林子瑾、吳子瑜、林焰墩、林祖藩、賴慶炎、林澄坡六人成立城隍廟重建委員會，並由林子瑾獻贈建廟基地。吳子瑜捐款 1,000 元，重建工作實際由林焰墩負責。
	3 月 21 日	黃旺成日記記載：「獨至烈堂家，全其住（往）吳鸞旂家，會議明日市協議會時，欲取芭蕉組合之利權為市基本金。林耀亭君亦參會而主旨穩健，鸞旂雖有成竹在胸，而言詞虛泛，不能統一，而烈堂先有活氣，後即銷沉，無辯才也。」

大正 10 年 （1921 年）		吳鸞旂開墾地成功，並獲得臺灣總督府賣渡許可。
		吳子瑜自中國回臺。
大正 11 年 （1922 年）		在北平的臺灣人成立「北平臺灣青年會」，吳子瑜與其他十餘人加入該會，並聲援「臺灣議會設置請願運動」。
	3 月 13 日	張麗俊日記記載：「窗友黃健生信自南來，託向吳鸞旂交涉贌耕事，乃轉託遜庭君代交涉。」
	3 月 27 日	吳鸞旂病逝。
	4 月 17 日	黃旺成日記記載：「午後居停仝遜庭君往新庄仔吳家問喪，予率伯淙往樂舞臺觀劇兩節『報恩寺』及『空城計』、『連斬馬謖』也。……夜觀《長生殿傳奇》至貴妃屍解。」
	9 月 1 日	黃旺成日記記載：「午後烈堂、遜庭來寓閒談，忽有吳東漢伴呂琯星來訪，云有中國通之高木正義來中，子瑜欲宴於香園閣，來請陪賓。東漢乃吳鸞旂之嫡三子，……。鸞旂一生儉不中禮，而所出子弟如此……。」
	10 月 1 日	吳子瑜當選臺中市第 2 屆協議會員。

		吳子瑜與基隆炭礦株式會社合作向臺灣總督府申請石炭採掘的礦業許可。
大正 11 年 （1922 年）		吳子瑜與三弟吳東漢合資創立春英株式會社，會社位在臺中市花園町五／九，主要從事土地建物和介紹國內外有價證券的買賣，資本額為 8,000 元，由吳子瑜擔任社長，取締役為林祖藩、吳東漢，監查役為賴崇棠、陳錫祺。
		吳子瑜與三弟吳東漢合資創辦吳鸞旂實業株式會社，資本額 100 萬元，後來更名為吳鸞旂拓殖株式會社。
	12 月 7 日	黃旺成日記記載：「至新庄仔觀吳家普施，祭品滿庭，以百席計，觀者如堵，門為之塞。聞其總務遜庭君云，夜辦食單五百，一任相幫者、不幫者肆意集食。」
	12 月 8 日	黃旺成日記記載：「吳鸞旂氏出殯　本日臺中富豪吳鸞旂氏出殯，居停為之點主。十二時過，行烈〔列〕從大正町經過，聯軸約有兩、三百枝，會葬者百餘人，諸般設備甚屬幼稚，雖費多金，不見價值。」
	12 月 20 日	黃旺成日記記載：「別一行予獨往冬瓜山，見子瑜氏家族墓地，登絕嶺賞子瑾氏先墳。」
大正 12 年 （1923 年）		吳子瑜向臺灣總督府申請石炭採掘的礦業許可和礦業權讓渡許可。

大正 12 年 （1923 年）	1 月 20 日	黃旺成日記記載：「維〔貽〕賢深斥其東家子瑜為錢關起見，賣米取現金，將來不知如何收拾，大不懷危。固誠心為主，抑別有所感也。」
	9 月 3 日	報導：櫟社壽椿會盛況壽星詩星光耀怡園 臺中之老詩社櫟社，在臺中市吳子瑜氏怡園召開壽椿會。
	10 月 9 日	報導：東山別墅重九日開即吟會 臺中市楠町吳子瑜氏，訂來舊重九日邀請島內雅士在東山別墅舉行聯吟會。
	12 月 1 日	報導：提倡內臺人詩社，以聯絡感情為主。 臺中吳子瑜氏自入櫟社後，對於斯道極力提倡，以期文風之大展。
大正 13 年 （1924 年）	10 月 1 日	吳子瑜當選臺中市第 3 屆協議會員。
大正 14 年 （1925 年）		吳子瑜創辦怡社，每逢春秋佳日皆邀請中部文人雅士在東山別墅煮酒敲詩，與會者有林資修、林獻堂、林仲衡、傅錫祺、王竹修、吳燕生等人。
	3 月	吳子瑜獲悉孫中山逝世的消息，在家中擺下香案設奠遙祭孫靈。
		臺中城隍廟大殿竣工落成。

大正 15 年 （1926 年）	4 月 3 日	張麗俊日記記載：「往豐原，欲招楊漢欽同往臺中吳子瑜方付〔赴〕全島聯合吟會……坐十二時五十分列車往臺中櫻町怡園，全島詩人先後而來，近三時開會，計一百八十七人。櫟社蔡子昭告開會之詞，櫟社陳懷澄述開會原因，子昭又對南北二部選舉二題，左右詞宗四名……詞宗出詩題，首題『春晴』五律麻韻，次題『歌唇』湯韻，二題俱限至五時交卷，送詞宗評選。 　春晴 　散步東郊外，山光樹色華，鶯聲金谷鬧， 　燕語夕陽斜。地疊文章草，天開錦繡花， 　怡園等修褉，清景在詩家。 　歌唇 　含羞忍笑欲聲張，手撥琵琶暗自傷， 　司馬青衫緣底溼，猩紅一點妬秋娘。」
	4 月 6 日	報導：全島詩社聯吟大會第二日之招待吟會三日午後二時，開於臺中吳子瑜氏之怡園。
	6 月 2 日	大東信託株式會社選在吳家召開發起人會議，由林獻堂主持會議，會中決定資本額為 250 萬元，同年 12 月 30 日正式成立，並聘請陳炘為總經理，林獻堂為董事長。投資巨額資金的吳子瑜成為大東信託株式會社的重要股東。
	6 月 15 日	櫟社社員在霧峰林獻堂家中聚會，吳子瑜和王石鵬也是座上賓，翌日，由林獻堂推薦吳子瑜與王石鵬二人入社。

大正15年 （1926年）	7月25日	丙寅端午後二日，吳子瑜參加櫟社為傅錫祺社長辦理的洗塵會，計有傅錫祺、林獻堂、林幼春、王了庵、林耀亭、蔡惠如等與會。
	10月1日	吳子瑜當選臺中市第4屆協議會員。
	10月15日	張麗俊日記記載：「往臺中，全諸吟友住吳子瑜家享午，因他今日邀集中、南、北三部騷人墨客到他東山作登高會也。……，接踵上東山別墅，即前所謂冬瓜山營其先父吳鸞旂之墓地也。其地約六、七甲，造築池臺樓閣、花木菓樹，全島未曾有之廣大，墳穴亦未曾有之奇形，工事計算十年之久，費金預算二十萬員之多，可謂曠全島而首屈一指。」
昭和2年 （1927年）	2月4日	報導：吳子瑜談辭大東信託係自己都合非感情問題。
		林獻堂日記記載：「與日人藤井夫婦、子猶龍、媳愛子一行四人，同往車籠埔參觀吳鸞旂表叔之墓。」
	5月27日	報導：籌設臺中孤兒院 臺中吳子瑜氏發起人。計畫組織金二十萬財團法人孤兒院於臺中市。
	9月8日	林獻堂日記記載：「吳子瑜彈辭、猶龍、愛子一行四人，同往車籠埔觀吳鸞旂表叔之墓。」

昭和 2 年 （1927 年）		臺中佛教會館的林德林（1890 年～1951 年）發生疑似緋聞案。彰化「崇文社」聲援，並對林氏進行圍剿，引發儒佛社群的論戰。其後，崇文社將相關資料和批評的詩文作品彙編成 5 冊《鳴鼓集》行世。吳子瑜是批僧詩歌的構想者，在《鳴鼓集》中以詩文批評，並於怡園擊缽吟，以〈破戒僧〉七律為題。
昭和 3 年 （1928 年）	2 月 2 日	報導：大東信託總會 臺中大東信託株式會社於 30 日午後在臺中驛前醉月樓開會，副社長吳子瑜、專務取締役陳炘等與會。
	5 月 8 日	楊水心日記記載：「陳炘君歸宅，報告大東會社／事，吳子瑜辭任副社長／種種事件。」
	10 月 1 日	吳子瑜當選臺中市第 5 屆協議會員。
昭和 4 年 （1929 年）	3 月 26 日	林獻堂日記記載：「發電報謂資梧病篤，以告梅堂、子瑜、東漢，十一時返馬橋。」
	5 月 7 日	報導：春初臺中吳子瑜君怡園雅集韻拈九青。
昭和 5 年 （1930 年）	2 月 8 日	林獻堂日記記載：「本早賴氏麵與阿真來言，為吳子瑜已出告賴氏麵。」
	2 月 12 日	林獻堂日記記載：「12 月 22 日吳子瑜午後來我宅，質問映雪、阿麵要向臺銀領二十萬之事。」

昭和 5 年 （1930 年）	2 月	吳鸞旂的繼室吳林氏梅與王氏貴合獻臺中城隍廟石柱，由吳燕生撰書對聯。
		庚午上巳日櫟社第四回壽椿會在霧峰召開，吳子瑜、傅錫祺、林獻堂、陳懷庭、林幼春、王了庵等與會。
	6 月 9 日	楊水心日記記載：「同主人、雲龍、關關、天成，亦招阿雨、映雪往於東山。至車籠埔下車，子瑜叔之妻及其女來迎接，為我先乘轎到東山，後去參拜鸞旂叔之墓。」
	9 月 27 日	楊水心日記記載：「九時外出發，樂隊二陣，雲龍親迎，……，新庄伯婆、二嫂、月霞、碧霞、阿金樣、鸞旂嬸三位來，吳子瑜之妻阿萍及女。」
昭和 6 年 （1931 年）	4 月 18 日	報導：臺中市怡園主人吳子瑜氏，訂 20 日即古曆 3 月初 3 日，依歷年雅例在其東山別墅，開踏高吟會。
	10 月 1 日	吳子瑜當選臺中市第 6 屆協議會員。
昭和 7 年 （1932 年）	3 月 20 日	全島聯吟大會於臺北市大龍峒孔子廟召開，櫟社有吳子瑜、王石鵬、蔡子昭、林仲衡、張玉書五人，怡社有吳燕生、陳泰山、盧氏夢蘇三人，東墩吟社有王竹修、林建寅、蔡梓舟、黃登高四人參加。
	6 月 3 日	吳子瑜刊載〈東山荔枝將熟即用灌園表兄詠荔花韻卻寄同社諸公〉。

昭和 7 年 （1932 年）	10 月 19 日	林獻堂日記記載：「五弟生日　子瑜、米石來　五弟生日，同子瑜、寶、三天、猶龍、成龍、瑞騰、資彬、根生、垂拱、津梁、榮鐘、樹奎、紹江、進平、聘三、友芬、水來、春懷、純錠、炳文、六龍共飲壽酒，妓女五人，計二十八人，頗各盡歡。」
		吳子瑜箍室張蘭英過世，葬於吳家墓園內。
昭和 8 年 （1933 年）	9 月 14 日	《臺灣日日新報》第 7 版〈南臺中櫻町に映畫演藝の劇場新築　同地の資產家吳子瑜氏が七萬餘圓を投じて〉報導，鑑於臺中市民唯一的娛樂館建物老舊危險，吳子瑜申請在楠町四／二興建蓬萊劇場獲得許可，劇場建地有 283 坪，為鋼筋混凝土二階式樣式，預計工程費七萬三千餘元，容納 690 名觀眾的最新建築，預計在昭和 9 年（1934 年）6 月中旬完成，建築工期十個月。
	9 月 15 日	漢文《臺灣新民報》第 2 版刊載〈臺中市吳子瑜氏　籌設近代式娛樂館　經費按七萬三千圓　以圖南臺中之繁榮〉，文中清楚說明新劇場為：「其設計乃出自元市技師齋藤辰次郎氏之手，取美國式劇場案為本，加諸適合東洋之施設，內容一切皆以現代式科學的設備。」

昭和 8 年 （1933 年）		吳子瑜將吳家私人戲院擴大，改成對外營業用的商業劇場，並與大甲洪棟樑、彰化謝欽漢等人合資經營，興建工程歷時三年，耗費十五萬餘元。
昭和 9 年 （1934 年）	1 月 30 日	報導：臺中の蓬萊劇場吳氏の獨營に決定 臺中州臺中市協議會員吳子瑜決議在南臺中投入五萬元興建臺中蓬萊劇場。
	3 月 20 日	林獻堂日記記載：「了庵述子瑜今年五十一歲不敢受櫟社壽椿之祝，……，自知其聲名敗壞，故不敢受諸詩友之祝。」
	3 月 27 日	楊水心日記記載：「本早四嬸映雪壽神五十一才內祝，我有去，攀龍、猶龍、愛子、金紗、榕紉、素英、垂拱、青桐林彰化奶、瑞騰、双吉、淑惠〔慧〕、燕生亦來祝。」
	3 月	臺南州主辦全島詩人大會於嘉義公園召開，吳子瑜、吳燕生與會。
	6 月 16 日	櫟社甲戌春會於霧峰林家舉行，參加者有吳子瑜、吳燕生、傅錫祺、林獻堂、陳懷庭、林幼春、王了庵等。
	8 月 1 日	吳子瑜當選臺中市第 7 屆協議會員。

昭和 10 年 （1935 年）	1 月 10 日	〈全島聯吟大會籌備諸進行續報〉報導：全島聯吟大會迫近，中部聯合吟會員在臺中吳子瑜家召開籌備會議。
	2 月 10 日	〈全島聯吟大會（第二日）續開於臺中公會堂春寒料峭裡散會〉報導：全島聯吟大會今年輪值於臺中，10 日在臺中公會堂召開盛況空前，其第二日為招待日繼續，下午一時由吳子瑜負責招待。
	2 月 12 日	張麗俊日記記載：「在怡園早起，到厚生組合向耀亭之子取皮箱子，遂坐局營自動車回豐原，……。午后，在家錄日誌並昨日律絕詩。 　　東山觀荔 　　樹樹迎春葉葉嬌，滿園風景荔偏饒， 　　東山特擅中州勝，乘興來遊路不遙。」
	3 月 26 日	報導：翰墨因緣 臺中櫟社員吳子瑜北上，北部謝雪漁、林述三於 26 日發起假百合咖啡店開歡迎擊缽會，出席者約二十人。
	5 月 31 日	林獻堂日記記載：「式穀八時餘來高義閣，適余將出發，即將文川對吳鸞旂及余之三張借用証交之，因濟川死後其妻繼續訴訟布嶼拓殖公司之事也。」

昭和 10 年 （1935 年）	12 月 3 日	張麗俊日記記載：「到吳子瑜家坐談，少頃入怡園遊玩山水花木後，又自入子瑜新建築之天外天劇場。其肇基之鞏固，洵用鐵根以英灰凝就，其規模之宏壯華麗，與東京寶塚無二。 午后二時，仝錫祺、棟樑〔梁〕、玉書、子昭等坐自動車往東山，獻堂、幼春、伊若、箴盤等亦至，合子瑜與我共十人，在樓前攝影後開壽椿晚宴。錫祺起讀祝文，祝子瑜五一壽文也。宴罷出『東山夜集』七絕，又出『梅花並壽』字渾咏詩唱，錄後。」
		吳子瑜舉家遷往中國。
昭和 11 年 （1936 年）	1 月 1 日	天外天劇場舉行開場式，三層樓高鋼筋水泥 RC 建築，內部設有電影放映室、觀眾座位席、賣場、茶館、舞池、咖啡座、餐廳、撞球場、麻將館等，是以演出傳統戲曲和電影播放為主的綜合性娛樂場所。開幕時，邀請正在臺灣巡迴表演的上海天蟾大京班擔任開臺演出。
	4 月 2 日	黃旺成日記記載：「欲往臺中曙町會吳子瑜繼母林夫人之葬於東山也，因雨下不果往。」

昭和 11 年 （1936 年）	10 月 23 日	張麗俊日記記載：「到怡園，入櫟社友吳子瑜家，櫟社友先後而來者傅錫祺、張玉書、張棟樑〔梁〕、林仲衡、王箴盤、呂蘊白合我與主人共是九人，並邀東墩吟社、怡社、大冶吟社三社之詩人十五人，四社合二十四人開會，擬定七律，『天外天上作九日』天外天是主人之劇場名也，作九日即取今日登高之義也。……。閉會，各登天外天三層樓上一望，下樓並入觀閩班舊賽樂開演。 　　七律　天外天上作九日 　　昂頭回顧樂無邊，市井分明在眼前， 　　東望金山高萬疊，西瞻玉海湧千年。 　　當時建築雄全島，此日登臨似半仙， 　　漫詡參軍傳落帽，還聞廣樂奏鈞天。」
		吳子瑜嫡配蔡綠蘋過世，葬於吳家墓園內。
昭和 12 年 （1937 年）	2 月 1 日	林獻堂日記記載：「杏元姑危篤，子瑾由北平歸來，余與內子使坤山往視之。杏元姑猶念尚有一茶几、書廚在余宅，此兩物係明治二十八年，她與鸞旂叔避土匪掠奪，請先父為之保護，因是兩家移來同住，迨至明治三十年將移歸臺中，因工人之不足，遂留此兩物……。」
	9 月 29 日	林獻堂日記記載：「呂柏齡十時來訪，……又述子瑜之言，北華自治之憲法係子瑾起草，經他修改，旗幟用七星亦是他所定，聞之使人大笑不止。」

昭和 13 年 （1938 年）	2 月 16 日	報導：戰爭動員期間吳子瑜叫人把天外天劇場的頂樓漆成特別顯眼的紅色，引發日本殖民官方的不悦。
	8 月 23 日	吳新榮日記記載：「參觀對面的吳子瑜宅第，格局不大，看起來比臺北林本源花園更為豪奢，曾是中南部惟一的豪族，而今竟只雇園丁在看守。……。然後又安排大家到冬瓜山的吳家的另一花園——東園去參觀。……到達冬瓜山山麓。東園主人吳子瑜所修築的父親吳鸞旂的墳墓，其豪華程度可説是臺灣之冠。」
昭和 14 年 （1939 年）	1 月 1 日	吳子瑜有詩〈己卯元旦試筆　時在奉天驛〉：「車馳鄰國境，人致賀春辭；朔雪堆高嶺，寒冰接短髭。計程嬌女待，此意老親知；霽色開千里，家家豎祝旗。」
昭和 15 年 （1940 年）	3 月 10 日	林獻堂〈步小魯表弟寄懷原韻〉：「寒灯孤館夜沉沉，忽接新篇（飛鴻）惠好音；遙憶屛軀難獨步，高吟佳句倍留心（見知心）。東山梅笑巡簷索，江戶春歸踏雪尋；遠隔煙波萬餘里，何時綠螘喜同斟。淀橋風月尚清新，暫作桃源避世人；老至始悲疏學業，道衰何處覓儒巾。怡園柳葉初舒綠，上野櫻花欲放（趁）春；兩地唱酬何日會，醉吟聯坐草如茵。」

昭和 16 年 （1941 年）	4 月 18 日	林獻堂日記記載：「吳子瑜本日返自東京，雜談片刻，夜行車返臺中。」
昭和 17 年 （1942 年）	7 月 11 日	林獻堂日記記載：「怡園詩會　吳鸞旂表叔本日是其八十一歲之陰壽，余與五弟乘自動車往參拜，鶴亭已先到矣。子瑜導余等拈香，……。諸詩友陸續而來，王則修、施梅樵、榮鐘、垂勝等。詩題『過怡園憶魯齋先生』七律尤韻，詞宗則修、梅樵。」
	11 月 15 日	林獻堂日記記載：「夜在臺中小西湖開慰勞會，出席者北屯庄長林傳旺（改姓竹林）、猶龍、垂芳、瑞騰、夒龍、添才、磐石、煉石及余。八時半宴終，同瑞騰往天外天劇場觀演劇，遇林金鍾，十時餘返霧峰。」
昭和 19 年 （1944 年）	1 月 5 日	林獻堂日記記載：「同子瑜到天外天劇場看俳優『天然美子』，六時十分之汽車乃返霧峰。」
	2 月 27 日	林獻堂日記記載：「散席後鶴亭、子瑜、燕生、培英、松柏及余同往天外天劇場觀演劇，五時之汽車歸。」
	5 月 16 日	林獻堂日記記載：「春懷、柏梁〔樑〕九日來商，欲為余開事務長祝賀會，斷然拒絕之，乃改為詩會，主人春懷、柏梁〔樑〕、培英、天佑、銘瑄、陳琅，招待鶴亭社長、小魯。……，九時宴終，鶴亭留宿，小魯為其孫扁桃【腺】炎乘自働〔動〕車往臺中。」

昭和 19 年 （1944 年）	5 月 18 日	林獻堂日記記載：「張叔荷次男仁裕與洪氏玉貞結婚，舉行披露式，余與內子同往受招待，出席者……吳上花、資彬、蔡先於、……、董氏金書、素貞、月珠外百四、五十名，……，余為來賓代表述祝辭。」
	6 月 21 日	林獻堂日記記載：「子瑜招待　子瑜昨日以電話來約同鶴亭社長午餐於醉月樓，乃招天佑同往，內子亦將往臺中，十時半遂同乘。余等到天外天劇場，……。劇場惟松柏在焉，既而培英、鶴亭、子瑜、燕生陸續而至，乃同到醉月樓，午餐後又同憩於中央ホテル，議舊六月為子瑜開祝還曆之宴於霧峰。」
	7 月	戰火波及臺灣，天外天劇場因而被迫停業。
昭和 20 年 （1945 年）	6 月 20 日	林獻堂日記記載：「途中忽聞敵機之聲，遂急行……。八時四十餘分抵東山，子瑜出迎，共啖荔枝，其姊映雪、其女燕生及其三姨俱出相見，共待避四次。」
	8 月 26 日	林獻堂日記記載：「培英、天佑三時半同踐子瑜之約，……。乃到董氏金書之宅，子瑜已先在矣，既而鶴亭、春魁、熊飛祖父孫三人亦至，暢論時局，董氏頗親切招呼。」
民國 34 年 （1945 年）		第二次世界大戰結束，吳子瑜擔任「北平臺灣同鄉會」會長，其目的在聯誼及幫助在北平的臺灣同鄉。

民國 36 年 （1947 年）	1 月 9 日	林獻堂日記記載：「吳子瑜庶母董氏金書七十一歲生日，七時餘往賀之，並會子瑜等。」
民國 37 年 （1948 年）	2 月 6 日	報導：天外天戲院上映播放上海製作的《萬世師表》。
	3 月 29 日	林獻堂日記記載：「夜清金招余到天外天看『天方夜譚』電影。」
	4 月 13 日	林獻堂日記記載：「中央書局落成，董事長（張煥珪）招待余及金海、猶龍⋯⋯等，在新落成之店中。宴畢，喜揚、炳燦同余到天外天，看蘇聯運動會之電影。」
	6 月 27 日	天外天戲院上映《泰山凱旋》。
	8 月 6 日	天外天戲院上映《天堂春夢》。
	10 月 1 日	天外天戲院因虧損公告暫停營業。
民國 38 年 （1949 年）	8 月 3 日	林獻堂日記記載：「三時看子瑜之病，兩足麻木，不能起床矣。次看國父紀念館將以作文獻委員會會趾〔址〕，稍小然強用之亦可以也。」
		天外天劇場售出後改名為國際戲院經營，吳子瑜並將所得用於修繕日治時期孫中山曾住過的臺北市梅屋敷。

民國 39 年 （1950 年）	4 月 24 日	國際戲院與樂舞臺採取聯合上映以及「一張戲票，雙料娛樂」的促銷方式，即影片女主角隨片登臺且不加票價的新作風與優待模式。
民國 40 年 （1951 年）		吳子瑜過世。
		全國詩人大會，由考試院代理院長賈景德擔任詞宗，評選吳燕生的詩為左元。
民國 41 年 （1952 年）		吳燕生參加在臺北市舉行的壬辰全國詩人大會，左詞宗為賈景德，其〈弔屈靈均〉獲左詞宗選為首名。
		臺中市長楊基先為倡建孔廟，基隆顏欽賢將吳鸞旂公館土地以半價方式讓渡給臺中市政府作為興建孔廟的用地。
民國 42 年 （1953 年）		吳燕生參加全國詩人大會，由張昭芹擔任詞宗，其詩再度獲選為左元榮譽。
民國 44 年 （1955 年）		吳燕生參加臺南市詩人節大會，所誌之詩又得左元，當時左詞宗為張昭芹。
民國 52 年 （1963 年）		國際戲院撤銷營業登記。
民國 53 年 （1964 年）		國際戲院全面結束營業。
民國 62 年 （1973 年）		臺中縣全縣詩人聯吟大會，假臺中縣太平鄉吳家花園舉行，與會者百餘人。

民國 64 年 ～民國 82 年 （1975年～1993年）		國際戲院作為太源冷凍廠使用。
民國 65 年 （1976 年）	6 月	吳燕生膺選為美國馬里蘭州舉行的第 3 屆世界詩人大會的中華民國 36 位出席代表之一。本屆臺灣代表團獲大會頒贈 16 項特別獎，吳燕生與新竹女詩人陳秀喜為獲獎的兩位女性。自美返臺時，吳燕生因心臟病突發而逝世，擇葬在吳鸞旂墓園中。
民國 75 年 （1986 年）		臺北市為進行臺北火車站鐵路地下化工程，因梅屋敷位於施工範圍，臺鐵工程處便與中國國民黨中央黨史會及臺北市政府協商，由臺北市政府向中國國民黨以徵收方式，由鐵路工程處協助拆遷館舍再於原址東北方約 50公尺處依原式樣重建。同年 11 月 12 日竣工，改稱逸仙公園及「國父史蹟紀念館」。
民國 76 年 （1987 年）	3 月 12 日	逸仙公園及「國父史蹟紀念館」正式對外開放。
民國 81 年 （1992 年）		內政部指定吳鸞旂墓園為第三級古蹟。
民國 82 年 ～民國 101 年 （1993年～2012年）		天外天劇場作為釣蝦場、電玩店及國際鴿舍使用。

民國 87 年 （1998 年）		吳鸞旂公館舊址改建為德安百貨公司。
民國 88 年 （1999 年）	9 月 21 日	臺中縣縣定古蹟吳鸞旂墓園被地震震毀，損壞嚴重。
民國 91 年 （2002 年）	6 月	縣定古蹟吳鸞旂墓園修復完工。
民國 101 年 （2012 年）		天外天劇場作為國際停車處經營。
民國 103 年 （2014 年）	3 月 10 日	所有權人欲拆除臺中天外天劇場，引發民間團體的關注和奔走陳情，地方文史團體向市長信箱陳情保留。
	7 月 8 日	提送第三次文化資產審議委員會審議，決議先列「暫定古蹟」。
	9 月 5 日	地方文史團體發起保留臺中天外天劇場連署，並提報資料申請天外天劇場指定文化資產審議。
民國 104 年 （2015 年）	2 月 5 日	提送第一次文化資產審議委員會審議，決議不予指定或登錄。
	11 月 5 日	再提送第六次文化資產審議委員會審議，因無新事證提出，不予審查，仍維持不予指定或登錄決議。

	3 月 14 日	文史團體提出新事證「城中城的時代座標——天外天劇場九大見證」，再度提報文化資產審議。並於 2 月 23 日、5 月 9 日兩次提交補充資料。
	3 月 24 日	第四次文化資產審議委員會以臨時動議建請臺中市政府成立天外天劇場暫定古蹟處理小組。
	4 月 8 日	臺中市政府函詢文化部有關暫定古蹟啟動疑義。
民國 105 年（2016 年）	4 月 27 日	召開天外天劇場暫定古蹟處理小組第一次會議，決議請專案小組討論提報單位之資料是否足以認定為新事證後再討論。
	5 月 3 日	文化部函覆舊已審議過之建案，並以書面或言詞通知相關利害關係人後，即已完成本案行政處分程序，無再列為暫定古蹟之問題。
	3 月 23 日、6 月 4 日、9 月 10 日	三次專案小組會議，因提報單位所提資料不足以構成新事證，爰以應維持原審議決議。
	10 月 11 日	臺中市東區天外天劇場暫定古蹟處理小組第二次會議。

民國 106 年 （2017 年）	5 月 18 日	公共電視以〈未取得文資身分　臺中天外天劇場恐將拆〉報導：臺中天外天劇場，從 2014 年來三次進入文資審議程序，最後還是無法取得文資身分，現在恐怕面臨拆除命運。
	5 月 26 日	地方文史團體函請臺中市政府文化局以提出天外天劇場新事證，並請依《文化資產保存法》第 20 條第 2 款規定，以遇有緊急情況逕列暫定古蹟，防止所有權人將之拆除。
	6 月～ 8 月	臺中市政府文化局依據 2016 年 10 月 11 日臺中市東區天外天劇場暫定古蹟處理小組第二次會議決議，將天外天劇場的相關人物和文史資料納入委託撰寫臺中學系列（二）：《劇場演義：演藝娛樂現代化的天外天劇場》。
		臺中市政府文化局辦理委託《天外天劇場》資料調查研究計畫。

參考書目

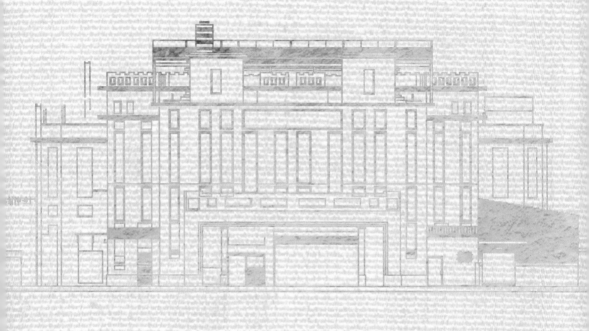

| 書籍 |

1. 王建竹編，《臺中市藝文界人士簡介　上冊》，臺中：臺中市政府，年代不詳。

2. 臺中市文獻委員會編，《臺中詩乘 · 續集（一）》，手稿。

3. 石川源一郎編，《臺灣名所寫真帖》，臺北：臺灣商報社，1899。

4. 臺灣總督府編，《臺灣揚文會策議》，臺北：臺灣總督府，1901。

5. 臺灣總督府民政學部，《公學校用漢文讀本》，臺北：臺灣總督府民政學部，1902。

6. 鷹取田一郎，《臺灣列紳傳》，臺北：臺灣總督府，1916。

7. 泉風浪，《臺中州大觀》，臺中：自治公論社，1922。

8. 臺灣實業興信所編，《昭和二年臺灣會社銀行錄》，臺北：臺灣實業興信所，1928。

9. 泉風浪，《中部臺灣を語る》，臺中：南瀛新報社出版部，1930。

10. 臺中市役所編，《昭和 11 年版　臺中市概況》，臺中：臺中市役所，1936。

11. 林耀亭，《松月書室吟草》，臺中：林湯盤自印，1940。

12. 黃洪炎，《瀛洲詩集》，臺北：臺灣詩人名鑑刊行會，1940。

13. 傅錫祺，《櫟社四十年沿革志略》，臺中：櫟社，1943。

14. 林獻堂，《海上唱和集》，收錄氏著《東遊吟草》，東京：自印，林瑞池發行，1951。

15. 賴子清，《臺灣詩海 · 前編》，臺北：作者自印，1954。

16. 連橫，《雅言》，臺灣文獻叢刊第 166 種，臺北：臺灣銀行

経濟研究室，1960。

17. 臺灣銀行經濟研究室編，《臺灣私法商事編》，臺灣文獻叢刊第 91 種，臺北：臺灣銀行經濟研究室，1960。

18. 呂訴上，《臺灣電影戲劇史》，臺北：銀華出版部，1961。

19. 吳德功，《彰化節孝冊》，臺灣文獻叢刊第 108 種，臺北：臺灣銀行經濟研究室，1962。

20. 傅錫祺編，《櫟社沿革志略》，臺灣文獻叢刊第 170 種，臺北：臺灣銀行經濟研究室，1963。

21. 周定山編，《臺灣擊缽詩選》，臺北：詩文之友社，1964。

22. 賴健祥，《臺中外史》，臺北：中華日報社，1967。

23. 莊太岳，《太岳詩草》，臺北：正言書刊社，1968。

24. 丁文江編，《梁任公先生年譜稿》，臺北：世界書局，1972。

25. 沈征郎、賴淑姬、胡業沅、朱界陽，《細說臺中》，臺北：聯合報社，1979。

26. 賴子清，《臺海詩珠 · 後編》，臺北：作者自印，1982。

27. 岡田隆正編，《臺中沿革誌》，臺北：成文出版社，1985。

28. 陳炎正，《臺中縣鄉賢傳》，臺中：臺中縣立文化中心，1988。

29. 張勝彥總編纂，張永堂撰述，《臺中縣志 · 卷七人物志》，臺中：臺中縣政府，1989。

30. 賴順盛、曾藍田編，《臺中市發展史》，臺中：臺中市政府，1989。

31. 吳德功，《吳德功先生全集》，南投：臺灣省文獻委員會，1992。

32. 傅錫祺，《鶴亭詩集》，臺北：龍文出版社，1992。

33. 鐘義明，《臺灣的文采與泥香》，臺北：武陵出版公司，1992。

34. 篠原正巳，《臺中・日本統治時代的記錄》，臺中：財團法人臺灣區域發展研究院臺灣文化研究所，1996。

35. 張勝彥等編著，《臺灣開發史》，臺北：國立空中大學，1996。

36. 古川松舟、小林小太郎，《臺灣開發誌》，臺北：成文出版社，1999。

37. 謝英從，《臺南吳郡山家族發展史——以彰化平原的開發為中心》，南投：國史館臺灣文獻館，2000。

38. 葉龍彥，《光復初期臺灣電影史》，新竹：新竹市立影像博物館，2001。

39. 臺灣總督府交通局鐵道部編，《昭和13年版臺灣鐵道旅行案內》，臺北：臺灣總督府交通局鐵道部，2001。

40. 黃秀政、張勝彥、吳文星，《臺灣史》，臺北：五南圖書公司，2002。

41. 許雪姬總策畫，《臺灣歷史辭典》，臺北：遠流出版社，2004。

42. 黃秀政總編纂，《臺中市志》，臺中：臺中市政府，2006。

43. 林文龍，《南投縣志・卷六文化志》，南投：南投縣政府文化局，2010。

44. 許雪姬、楊麗祝、賴惠敏，《續修臺中縣志・卷九：人物志》，臺中：臺中縣政府，2010。

45. 凌宗魁著，鄭培哲繪，《紙上明治村：消失的臺灣經典建築》，新北：遠足文化公司，2016。

| 碩博士論文 |

1. 王偉莉，〈日治時期臺中市區的戲院經營（1902～1945）〉，南投：國立暨南國際大學歷史學系碩士論文，

2009。

2. 石婉舜，〈搬演「臺灣」：日治時期臺灣的劇場、現代化與主體型構（1895～1945）〉，臺北：國立臺北藝術大學戲劇學系博士論文，2010。

｜ 期刊 ｜

1. 賴子清，〈古今臺灣詩文社（二）〉，《臺灣文獻》，第 11 卷第 3 期（1960），頁 83。

2. 沈葆楨、潘霨，〈同治十三年請移福建巡撫駐臺疏〉，《道咸同光四朝奏議第六冊》，臺北：臺灣商務印書館，1970，頁 2640～2643。

3. 溫振華，〈清代臺灣中部的開發與社會變遷〉，《國立臺灣師範大學歷史學報》，第 11 期（1983），頁 43～95。

4. 蘇全正，〈臺中人物小傳（1）：林崧生傳〉，《大墩文化》，第 17 期（2001），頁 23～25。

｜ 研究報告 ｜

1. 胡惠鵬採訪撰文，《臺中市中區、西區、東區社區總體營造資源調查計畫報告書：東區資源調查報告》，臺中：臺中市立文化中心，1999。

2. 東海大學中國文學系編，《日治時期臺灣傳統文學論文集》，臺北：文津出版社，2003。

｜ 網路 ｜

1. 臺中市南屯區公所：http://www.nantun.taichung.gov.tw/（搜尋

日期：2017/8/1）。

2. 公共電視，邱植培、彭煥群臺中報導，〈未取得文資身分臺中"天外天劇場"恐將拆〉：http://times.hinet.net/times/news/20200976（搜尋日期：2017/8/1）。

3. 臺中學研究中心：http://taichung2050.pixnet.net/blog/post/309418518%E8%8A%B1%E4%BA%94%E5%84%84%E5%85%83%E4%BF%9D%E5%AD%98%E5%8F%B0%E4%B8%AD%E5%A4%A9%E5%A4%96%E5%A4%A9%EF%BC%8C%E5%89%B5%E9%80%A0%E5%8F%B0%E4%B8%AD%E4%BA%BA%E4%B8%8A%E4%BA%BA%E7%94%9F（搜尋日期：2017/8/10）。

| 報紙 |

1. 《漢文臺灣日日新報》。
2. 《臺灣日日新報》。
3. 《臺灣民報》。
4. 《臺灣民聲日報》。

| 史料 |

1. 中央研究院臺灣研究古籍資料庫，《臺灣建築會誌》：http://rarebooks.ith.sinica.edu.tw/sinicafrsFront99/search/image_preview.htm#（搜尋日期：2017/7/10）。

2. 中央研究院臺灣史研究所臺灣日記知識庫，林獻堂，《灌園先生日記》：http://taco.ith.sinica.edu.tw/tdk/（搜尋日期：2017/7/10）。

3. 中央研究院臺灣史研究所臺灣日記知識庫，吳新榮，《吳新榮日記》：http://taco.ith.sinica.edu.tw/tdk/（搜尋日期：

2017/7/10）。

4. 中央研究院臺灣史研究所臺灣日記知識庫，黃旺成，《黃旺成先生日記》：http://taco.ith.sinica.edu.tw/tdk/（搜尋日期：2017/7/10）。

5. 中央研究院臺灣史研究所臺灣日記知識庫，張麗俊，《水竹居主人日記》：http://taco.ith.sinica.edu.tw/tdk/（搜尋日期：2017/7/10）。

6. 中央研究院臺灣史研究所臺灣日記知識庫，楊水心，《楊水心女士日記》：http://taco.ith.sinica.edu.tw/tdk/（搜尋日期：2017/7/10）。

7. 國立臺灣文學館《臺灣新民報》檢索系統，《臺灣新民報》：http://sinmin.nmtl.gov.tw/opencms/sinmin_data/newsXmls/19330915/02/SinminNews0007.html（搜尋日期：2017/7/10）。

8. 中央研究院臺灣史研究所，臺灣總督府職員錄系統：http://who.ith.sinica.edu.tw/mpView.action（搜尋日期：2017/7/20）。

9. 國史館臺灣文獻館臺灣總督府公文類纂資料庫，〈明治 30 年臺灣總督府公文類纂永久甲種　第二門官規官職　服制徽章〉，第 000001260000002 號檔案。

10. 國史館臺灣文獻館臺灣總督府公文類纂資料庫，〈明治 30 年臺灣總督府公文類纂永久甲種　第二門官規官職　敘勳〉，第 000001250000003 號檔案。

11. 國史館臺灣文獻館臺灣總督府公文類纂資料庫，〈明治 37 年臺灣總督府公文類纂十五年保存　第十二門殖產　山林原野〉，第 000048150000002 號檔案。

12. 國史館臺灣文獻館臺灣總督府公文類纂資料庫，〈大正 5 年臺灣總督府公文類纂永久保存　第十門　第六類　追加 37

卷〉，第 000026290000002 號檔案。

13. 國史館臺灣文獻館臺灣總督府公文類纂資料庫，〈大正 10 年臺灣總督府公文類纂永久保存　第五門地方　第 32 卷　第七類年期貸下及開墾〉，第 000031680000002 號檔案。

14. 國史館臺灣文獻館臺灣總督府公文類纂資料庫，〈大正 11 年臺灣總督府公文類纂永久保存　第十門　第 168 卷　第四類礦業〉，第 000034380000004 號檔案。

15. 國史館臺灣文獻館臺灣總督府公文類纂資料庫，〈大正 11 年臺灣總督府公文類纂永久保存　第十門　第 170、171 卷　第四類礦業〉，第 000034400000003 號、第 000034410000002 號檔案。

16. 國史館臺灣文獻館臺灣總督府公文類纂資料庫，〈大正 12 年臺灣總督府公文類纂永久保存　第十門殖產　第 134 卷　第四類礦業〉，第 000037360000003 號、第 000037360000004 號檔案。

｜ 田野調查紀錄 ｜

1. 蘇全正，〈林崧生三子林紹甲先生於臺中市南區林崧生古宅口述記錄〉（未刊稿），1993。

2. 蘇全正，〈臺中市南區城隍廟田野調查記錄〉（未刊稿），2017/7/4。

3. 蘇全正，〈臺北市國父史蹟紀念館田野調查〉（未刊稿），2017/7/11。

（朱書漢／攝）

臺中學 9

劇場演義

演藝娛樂現代化的天外天劇場

作　　　者	蘇全正・郭双富	
照 片 提 供	蘇全正・郭双富・朱書漢・吳哲芳・林紹甲	

發　行　人　林佳龍
主　　　編　王志誠（路寒袖）
編 輯 委 員　施純福・黃名亨・楊懿珊・林敏棋・陳素秋・林承謨
執 行 編 輯　陳兆華・范秀情・趙崧然・林耕震

出 版 單 位　臺中市政府文化局
地　　　址　臺中市西屯區臺灣大道三段 99 號惠中樓 8 樓
網　　　址　http://www.culture.taichung.gov.tw
電　　　話　04-2228-9111
展 售 處　五南書局／ 04-2226-0330
　　　　　　臺中市中區中山路 6 號
　　　　　　國家書店松江門市／ 02-2518-0207
　　　　　　臺北市中山區松江路 209 號 1 樓

編 輯 製 作　遠景出版事業有限公司
負 責 人　葉麗晴
主　　　編　李偉涵
執 行 編 輯　謝佳容
封 面 圖 提 供　臺中市文化資產處
美 術 設 計　李偉涵
內 文 排 版　吳欣怡

地　　　址　新北市板橋區松柏街 65 號 5 樓
電　　　話　02-2254-2899
傳　　　真　02-2254-2136
劃 撥 戶 名　晴光文化出版有限公司
劃 撥 帳 號　19929057
總 經 銷　紅螞蟻圖書有限公司
初　　　版　中華民國 106 年 11 月
定　　　價　新臺幣 300 元
G P N　1010601667
I S B N　978-986-05-3758-1

國家圖書館出版品預行編目資料

劇場演義：演藝娛樂現代化的天外天劇場／ 蘇全正、郭双
富 著. - 初版. － 臺中市 ： 臺中市政府文化局出版：
晴光文化發行, 2017.11　面 ； 公分. － （臺中學；9）

ISBN 978-986-05-3758-1（平裝）

733.9/115　　　　　　106018275